2023 So Easy! 쉽게 따라하는

실무

치과 보험청구

손가락이 기억하는 보험청구 Skill!

실무 활용도 100% 모든 CASE 완벽 산정!

군자출판사

2023
So Easy!
쉽게 따라하는 ^{실무} 치과보험청구

첫째판 1쇄 발행 2022년 06월 29일
둘째판 1쇄 인쇄 2023년 04월 12일
둘째판 1쇄 발행 2023년 05월 01일

지 은 이 김영삼 강수영 김희진 소지현 조은주
발 행 인 장주연
출 판 기 획 한수인
책 임 편 집 박은선
디 자 인 신지원
일 러 스 트 신윤지
제   작 이순호
발 행 처 군자출판사(주)
　　　　　　등록 제4-139호(1991. 6. 24)
　　　　　　(10881) 파주출판단지 경기도 파주시 회동길 338(서패동 474-1)
　　　　　　전화 (031) 943-1888 팩스 (031) 943-0209
　　　　　　www.koonja.co.kr

ISBN 979-11-7068-000-0

정가 35,000원

2023
So Easy!
쉽게 따라하는
실무 치과
보험청구

저자

김영삼

전북 정읍 출생
전주고등학교 졸업
전북대학교 치과대학 졸업
전북대학교 대학원 치의학박사

전) 강남 사람사랑치과 원장
현) 부산대학교 치과대학 외래교수
현) 전북대학교 치과대학 외래교수
현) 연세대학교 치위생과 겸임교수
현) 연세대학교 치과대학 외래교수
현) 강남레옹치과 대표원장

강수영

제주관광대학교 치위생학과 졸업

가천대학교 보건대학원 치위생학 석사수료

치과건강보험 달인되기 공동저자(2015, 2016)

치과보험청구사 3급 해설집 공동저자(2021)

치과건강보험 필수 50, 3급, 2급 공동저자

   (2015-2023)

현) 대한치과건강보험협회 공인강사

현) 제주관광대학교 치위생과 겸임교수

현) 강남레옹치과 총괄부장

소지현

대전보건대학교 치위생과 졸업

남서울대학교 치위생학 석사학위 취득

치과보험청구사 3급 공동저자(2019)

치과보험청구사 3급 해설집 공동저자(2016,

   2017, 2021)

현) 대한치과건강보험협회 공인강사

현) 강남치과 총괄실장

김희진

경복대학교 치위생과 졸업

삼육보건대 치위생학과 졸업

치과건강보험 필수 50 공동저자(2017, 2019)

치과보험 파워정복 공동저자(2018)

치과보험청구사 3급 해설집 공동저자(2021)

현) 대한치과건강보험협회 공인강사

현) 서울플란트치과 실장

조은주

강동대학교 치위생과 졸업

남서울대학교 대학원 치위생학 석사

치과건강보험 달인되기 공동저자(2017-2020)

치과건강보험 필수아이템 치과상병명

   공동저자(2020)

치과보험청구사 3급 공동저자(2020-2023)

현) 대한치과건강보험협회 공인강사

현) 청주대학교 치위생학과 겸임교수

현) 청주올바른치과 실장

프롤로그

작년 하반기에 이 책이 나왔는데 반응이 아주 좋다고 하네요.

저의 <치과건강보험 달인되기> 책도 있지만 이 책은 다른 보험책들과 달리 임상 맞춤형으로 정리해 보기도 했고, 보험 공부를 하다 보면 내가 많이 알고 있다고 하더라도 실제로 청구하려면 어떻게 해야 하는지 어디 물어볼 곳이 없을 때도 있는데, 이 책에는 각 항목마다 자주 하는 질문과 답변까지 수록해서 많이 찾으시는 건 아닐까 합니다.

코로나19 상황이 작년 하반기부터는 좀 안정되면서 저는 다시 사랑니와 임플란트 강의를 하고, 해외에서도 강의를 많이 시작하면서 정신없이 바쁜 나날을 보내고 있습니다.

제 바쁜 생활들을 이해해 주며 저는 큰 틀에서만 작업할 수 있게 해주고, 출판한지 얼마 안 됐지만 다시 개정판이 나온다고 좀 더 많은 내용을 담을 수 있게 항상 고민하고 노력해 주신 공저자분들 강수영, 김희진, 소지현, 조은주 실장님 감사드립니다.

치과건강보험 중요성은 모두가 너무 잘 알고 있기도 하고, 치과인이라면 누구랄 것도 없이 실천하고 있을 것입니다. 요즘 주변에서 치과 하시는 분들이 다들 경기가 안 좋다고 하는데, 이럴 때일수록 치과건강보험에 관심을 가지고 제대로 청구하는 것이 더 중요하지 않을까 합니다.

이 책이 건강보험 실력 향상은 물론, 치과의 재정적인 안정을 위해 큰 도움이 되시기를 바랍니다.

2023년 3월
오랜만에 한국에서...
김 영 삼

이 책의 장점

1 누구나 **쉽게** 이해할 수 있습니다

보험 청구에 대한 공부를 시작할 때 각 진료행위의 산정기준을 외우려고만 해서 어려움을 겪기도 하고, 또 많은 양으로 인해 시작하기도 전에 두려움을 느끼는 경우가 많을 겁니다. 이 책은 환자가 병원에 내원하는 Chief Complaint (주소), 즉 C.C를 통해 이어지는 진료행위와 그에 따른 산정기준으로 정리를 해서 좀 더 쉽게 접근할 수 있고, 쉽게 이해할 수 있게 만든 책입니다. 또한 진료기록부 예시를 함께 수록하여 진료기록만으로도 청구할 수 있는 항목을 찾아낼 수 있어 더욱 쉽게 보험 청구를 할 수 있을 것입니다.

2 누구나 **바로** 적용할 수 있습니다

여러 보험 청구 프로그램이 있는데, 이 책은 요즘 개원가의 70% 이상이 선택하는 "덴트웹"을 활용한 청구화면을 예시로 수록했습니다. 청구하는 순서 및 방법을 기재하여 처음 보험 청구를 시작하는 분들도 쉽게 적용하고 바로 따라 할 수 있게 구성했습니다.

3 누구나 **궁금했던 질문을** 토대로 쉽게 답을 찾아갈 수 있습니다

보험 청구 산정기준을 알고 있다고 해도 실전에서 청구할 때 막히는 경우가 있고, 어디에서도 답을 찾기 힘든 경험을 했을 거예요. 이 책은 실전에서 보험 청구 시 정말 궁금했던, 어디에 물어야 할지 모르는 질문을 토대로 해결 방법을 제시하여 궁금증을 해결하고, 실제 적용할 수 있게 구성하여 보험 청구 능력을 한 단계 더 올릴 수 있을 것입니다.

이 책의 활용법

01 술식의 개념부터 이해

보험 청구의 자연스러운 이해를 위해
술식의 개념과 적응증부터 워밍 UP~!

> **발수란?**
> 근관치료를 시행하기 위해 근관 내부의 살아있는 치수나 괴사된 염증조직을 제거하는 술식입니다.
>
> **근관와동형성이란?**
> 근관치료를 시행하기 위해 근관 입구로 통하는 직선 경로를 얻기 위한 통로를 만드는 행위입니다.

02 산정기준을 명확하게

각 술식에 따라
어떻게 수가 산정이 가능 혹은 불가능한지 명확하게 파악!

 산정기준

- 충치를 제거하지 않고 임시 충전
- 치수절단 후 F.C change 시 산
- 치수강 개방만 하는 경우 산정
- 발수를 완료하지 못하고 치수

03 눈으로 익히는 차팅

각 케이스별
C.C와 진료기록을 자연스럽게 익힌다!

 진료기록부 예시

Date	Region	Treatment & Prognosis
2/1	6	C.C 어금니에 구멍이 났는데 오늘은 시간이 없어서 그 부분 매꾸기만 해주실 수 있나요? Dx. Dental caries (K02.1) Caviton filling(O) N) GI filling

04 당황하지 않고 청구 클릭클릭

각 케이스별 '덴트웹'을 활용한
보험 청구법과 상병명 적용을 그대로 따라한다!

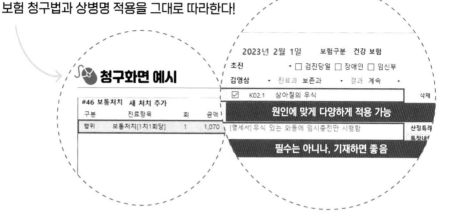

🖐 **청구화면 예시**

구분	진료항목	회	금액
#46 보통처치 새 처치 추가			
행위	보통처치[1치1회당]	1	1,070

2023년 2월 1일   보험구분 건강 보험
초진   ☐ 검진당일 ☐ 장애인 ☐ 임신부
김영삼 ▾ 진료과 보존과 ▾ 결과 계속 ▾
☑ K02.1 상아질의 우식   삭제

원인에 맞게 다양하게 적용 가능

[명세서]우식 있는 와동에 임시충전만 시행함   산정특례
                                              특진내역

필수는 아니나, 기재하면 좋음

05 질문있어요!

누구도 알려주지 않는 복잡하고 어려운 내용들을
Q&A로 한 번 더!

💬 **질문있어요!**

 Q1
지각과민처치제로 SE-bond를 구매했어

 지각과민처치제는 재료구입신고
게 좋고요. 참고로 거래명세서를
에 대해서만 재료구입신고를 해주시면

06 덤으로 드리는 팁♥

> 부족한 부분은 팁으로 익혀 보기!

─── **충전처치한 치아 재충전 시 산정기준** ───

아말감, 글래스아이오노머 충전 시
• 1개월 이내: 재진(100%) + 와동형성료(50%) + 충전료(50%) + 재료대(100%)
• 1개월 이후: 초진(100%) + 와동형성료(100%) + 충전료(100%) + 재료대(100%)

차 례

1. 보험 청구의 기본

건강보험의 의미

건강보험의 의미

우리는 일상생활을 하면서 질병에 걸리기도 하고, 부상을 당하기도 합니다. 이런 경우 갑자기 고액의 진료비가 발생하게 되면 살아가는데 많이 힘들어질 수밖에 없겠죠? 이를 방지하기 위해 우리는 4대 보험의 하나인 건강보험료를 내게 되고, 질병이나 부상이 발생하여 병원에서 진료를 받게 됐을 때 진료비에 대한 혜택을 받을 수 있게 됩니다.

치아나 잇몸이 아프거나 외상을 입었을 때 사람들은 치과를 오게 될 것이고, 치과에서는 치료, 즉 의료서비스를 제공합니다. 그럼 이에 대한 진료비를 수납하게 되는데, 보험에 해당하는 진료를 하게 되면 본인부담금만큼만 수납하고, 나머지는 건강보험료를 관리 운영하는 국민건강보험공단에 비용을 청구하면 됩니다.

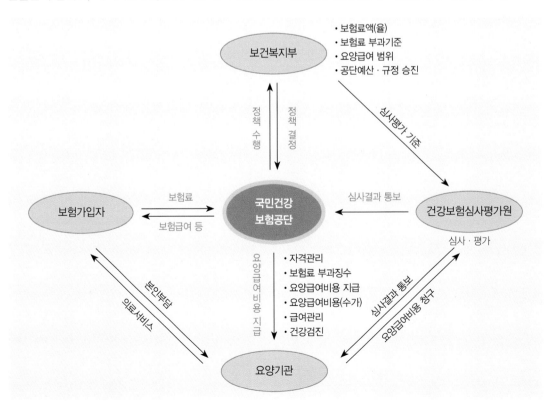

1) 국민건강보험공단

보험자의 역할로서 가입자 및 피부양자 자격관리, 보험료 부과와 징수, 보험급여의 관리, 가입자의 건강유지·증진을 위하여 필요한 예방사업, 보험 급여비용의 지급, 요양기관과 의료서비스 가격을 계약으로 정하는 등 보험재정 관리 및 포괄적 국민 건강보장사업을 관리하는 운영주체로서의 역할을 수행하며, 전국 각 지역에 지사를 두고 있다.

2) 건강보험심사평가원

건강보험 통합 이후 보험자로부터 심사기능을 분리하여 독립된 기관으로 설치하였으며, 각 의료기관의 요양급여비용 청구 내용에 대하여 전문성, 공정성, 객관성 등의 제고를 통한 심사의 효율성과 보험자, 의료공급자의 신뢰를 구축하고, 심사와 병행하여 요양급여의 적정성을 평가함으로써 요양기관의 적정 진료를 유도, 국민이 양질의 의료서비스를 받도록 하기 위한 업무 등을 수행하며, 각 광역시·도별 지원을 두고 있다.

3) 치과 관점에서 본 건강보험 청구의 흐름도

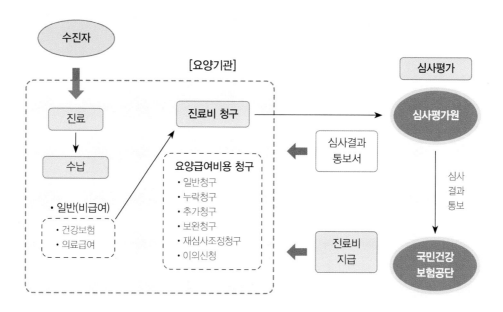

비급여 가능한 치과치료

급여는 건강보험에 적용되는 부분이고, 비급여는 건강보험에 적용되지 않는 부분입니다. 우리나라의 건강 보험제도는 환자에게 별도의 비용을 받을 수 있는 비급여 항목이 정해져 있고, 나머지는 건강보험을 적용하 도록 되어있습니다. 법적으로 비급여 대상과 행위 비급여 목록이 정해져 있다는 것입니다. 이에 해당하는 경 우가 아니라면 환자분께 비급여 비용을 청구할 수 없어요. 비급여 가능한 대상 및 목록은 한 번 정도만 읽어 보면 되고, 필요한 경우 찾아보면 됩니다.

> **국민건강보호법 시행령 제19조**
> 요양기관은 법 제14조 제2항 및 제3항에 따라 보건복지부령으로 정하는 요양급여 사항 또는 비급여 사항 외의 입원보증금 등 다른 명목으로 비용을 청구해서는 아니 된다.

1. 행위 비급여 목록

1) 교육·상담료 – 치태조절교육

- 치아우식, 치주질환에 대하여 교육, 상담 등을 통하여 환자가 자신의 질병을 이해하고 합병증을 예방할 수 있도록 관리체계를 수립한 경우에 산정한다.
  - → 대상 환자/대상 질환: 한국 표준질병사인분류표에 의한 질병코드 K02, K05(AZ007)
- 교육은 담당 의사의 지시하에 실시되며, 교육자는 미리 계획된 교육 프로그램에 의해 실시한 교육 관련 내용을 진료기록부에 기록 관리하여야 한다.
  - → 교육자: 치과의사, 치과위생사
- 요양기관별로 교육자 중 상근하는 교육 전담인력을 배치하여야 하며, 교육이 원활히 이루어질 수 있는 별도의 공간을 확보하고 교육별로 전 과정을 30분 이상 실시하여야 한다. 다만, 치태조절교육은 상근 교 육 전담자 및 별도의 공간 확보 사항은 예외로 한다.
- 교육 프로그램 전 과정을 포함한 비용을 1회 산정하며, 이 비용에는 교육 프로그램 일부 내용의 반복교 육 및 추후관리가 포함된다.
- 교육 시작 전 소정 양식의 환자동의서를 작성하여야 한다.

(1) 교육내용 및 방법

교육자는 교육의 내용, 횟수, 간격 등에 대한 계획을 하고 해당 요양기관 임상과 또는 관련 학회 등의 자문을 받은 자료를 이용하여 미리 계획된 교육 프로그램에 의해 질환의 치료 및 합병증 예방 등 자가관리를 할 수 있는 포괄적인 내용을 교육(집단 또는 개별교육)하여야 한다.

(2) 기타

가. 소아환자 등 환자가 독립적으로 교육받기 곤란한 경우에는 보호자를 대상으로 교육한 경우에도 산정할 수 있다.

2) 치아검사

- 교합음도검사
- 구취측정
- 치아우식활성검사
- 타액검사(분비율, 점조도, PH, 완충기능검사)
- 하악과두위치와 운동검사 및 분석(Axiograph 이용)
- 하악과두위치와 운동검사 및 분석(Mandibular position indicator 이용)
- 인상채득 및 모형제작 [1악당] Impression Taking and Cast Construction

3) 영상 진단 및 방사선치료

- 규격화 치근단 사진공제술

4) 치아질환처치

- 보철물 장착을 위한 전단계로 실시하는 Post Core
- 접착 아말감 수복, 핀 유지형 수복
- 인레이 및 온레이 간접충전(금 등을 사용한 충전치료)
- 광중합형 복합레진 충전(만 5–12세 이하 영구치 급여 시행)
- 광중합형 글래스아이오노머 시멘트 충전

5) 수술 후 처치, 치주조직의 처치 등

- 구강보호장치
- 구취의 해석 및 진단, 구취처치
- 금속교합안정장치
- 대구치 직립이동
- 레진수지관 스플린트
- 이갈이장치

- 인공치은
- 치간이개 심미적 폐쇄술(교정력을 이용한 경우, 복합레진축조술의 경우)
- 코골이장치
- 임시수복치관내고정술
- 교합장치
  가. 교합안정장치
  나. 즉시전방교합장치
  다. 연성교합안정장치
  라. 전방재위치교합장치
  마. 교합장치의 조정, 첨상, 재건

6) 구강외과수술
- 신속한 교정치료를 위한 피질골절단술
- 자가치아이식술
- 생체조직처리 자가골이식술[골형단백(BMP)을 추출하여 시행하는 경우]
- 치관 노출술 [1치당] Surgical Uncovering

7) 치주질환수술
- 치은착색제거술
- 잇몸웃음교정술
- 심미적 치관형성술

2. 비급여 대상

1. 다음 각목의 질환으로서 업무 또는 일상생활에 지장이 없는 경우에 실시 또는 사용되는 행위·약제 및 치료재료
   가-다. 〈해당 없음〉
   라. 단순 코골음
   마-바. 〈해당 없음〉
   사. 기타 가목 내지 바목에 상당하는 질환으로서 보건복지부장관이 정하여 고시하는 질환
2. 다음 각목의 진료로서 신체의 필수 기능개선 목적이 아닌 경우에 실시 또는 사용되는 행위·약제 및 치료재료
   가-다. 〈해당 없음〉
   라. 저작 또는 발음기능개선의 목적이 아닌 외모개선 목적의 악안면 교정술 및 교정치료
   마-바. 〈해당 없음〉
   사. 기타 가목 내지 바목에 상당하는 외모개선 목적의 진료로서 보건복지부장관이 정하여 고시하는 진료
3. 다음 각목의 예방진료로서 질병부상의 진료를 직접목적으로 하지 아니하는 경우에 실시 또는 사용되는 행위·약제 및 치료재료
   가. 본인의 희망에 의한 건강검진(법 제52조의 규정에 의하여 공단이 가입자 등에게 실시하는 건강검진 제외)

나. 〈해당 없음〉

다. 구취 제거, 치아착색물 제거, 치아교정 및 보철을 위한 치석제거 및 구강보건증진 차원에서 정기적으로 실시하는 치석제거. 다만, 치석제거만으로 치료가 종료되는 전악 치석제거로서 보건복지부장관이 정하여 고시하는 경우는 제외한다.

라. 불소국소도포, 치면열구전색(치아홈메우기) 등 치아우식증 예방을 위한 진료. 다만, 만 18세 이하의 치아우식증에 이환되지 않은 순수 건전치아인 제1큰어금니 또는 제2큰어금니에 대한 치면열구전색(치아홈메우기)은 제외한다.

마~바. 〈해당 없음〉

사. 장애인 진단서 등 각종 진단서 발급을 목적으로 하는 진료

아. 기타 가목 내지 마목에 상당하는 예방진료로서 보건복지부장관이 정하여 고시하는 예방진료

4. 보험급여시책상 요양급여로 인정하기 어려운 경우 및 그 밖에 건강보험급여원리에 부합하지 아니하는 경우로서 다음 각목에서 정하는 비용, 행위, 약제 및 치료재료

가~마. 〈해당 없음〉

바. 치과의 보철(보철재료 및 기공료 등을 포함한다) 및 치과임플란트를 목적으로 실시한 부가수술(골이식수술 등을 포함한다). 다만, 보건복지부장관이 정하여 고시하는 만 65세 이상 노인의 틀니 및 치과임플란트는 제외한다.

사~더. 〈해당 없음〉

5~8. 〈해당 없음〉

1) 비급여 재료

근관충전재인 MTA는 기존의 충전재에 비해 고가이므로 비용효과성 등을 감안하여 비급여하도록 하며, 비급여로 등재되어 있는 재료는 다음과 같다.

코드	품명	규격	제조회사
BL7601NM	PRO ROOT MTA	2G	DENTSPLY TULSA DENTAL
BL7601PA	ORTHO MTA	0.2G	BIOMTA
BL7601QX	MTA-ANGELUS GRAY	1G/2G	ANGELUS
BL7601SE	RETRO MTA-ORTHO MTA II	POWDER 0.3G + LIQUID 0.15ML	BIOMTA
BL7601UB	ENDOCEM MTA	300MG	㈜마루치
BL7602PA	ORTHOMTA III-1	0.2G	BIOMTA
BL7602QX	MTA-WHITE	0.14G/1G	ANGELUS
BL7602UB	ENDOCEM ZR	300MG	㈜마루치
BL7603UB	ENDOCEM MTA PREMIXED REGULAR	전규격	㈜마루치
BI7604UB	ENDOCEM MTA PREMIXED LIGHT	전규격	㈜마루치
BL7600YN	BIODENTINE	POWDER 0.7G + LIQUID 0.2ML	SEPTODONT
BK7600BC	WELL-ROOT PT	전규격	(주)베리콤

2) 비급여 불가능 항목(임의비급여)

임의비급여는 건강보험법령에서 법정 본인부담금 또는 비급여로 인정한 경우 외 임의로 환자로부터 비용을 받는 상황으로 부당청구에 해당한다.

- 매복치 발치 시 CT 촬영 후 비용을 청구하는 경우
- 발치 후 흡수성 봉합사 비용을 청구하는 경우
- 탈락된 보철물 재부착 후 접착제 비용을 청구하는 경우
- 초진 시 일률적인 파노라마 촬영 후 비용을 청구하는 경우

위와 같은 경우는 모두 부당청구로 과징금과 영업정지, 면허정지의 처벌을 받게 될 수 있으니 주의해야 한다.

질문있어요!

Q1
만 50세 환자로 임플란트 진단을 위해 Cone beam CT(이하 CT)를 촬영하여 비급여로 비용을 받았는데, 환자분이 임플란트를 하지 않겠다고 환불해 달라고 합니다. 환불해 드려야 하나요?

임플란트 진단을 위해 CT 촬영 시 비용으로 고민될 때가 많죠? 임플란트가 비급여 진료이기 때문에 비급여 진료를 위한 경우에 해당하여 비급여로 가능할 것 같기도 하고, CT가 비급여 대상 및 행위 목록 안에는 없다 보니 안 될 것 같기도 하여 논란이 되는 경우가 많은데요. 제 개인적인 생각이긴 하지만, 이런 논란을 피하기 위해 임플란트 진단 시 진단 모델을 위한 인상채득을 함께 시행하면 좋을 것 같아요. 비급여 행위 목록 중 치아 검사 항목에 인상채득 및 모형제작이라는 항목이 명시되어 있어 인상채득 후 진단 모델을 제작했다면 이런 논란을 피할 수 있으며, 환자분이 임플란트를 하지 않더라도 정당한 비급여 항목에 대한 비용을 받은 것이기 때문에 환불하지 않아도 될 거고요. 그리고 이때, 중요한 점은 비급여 진료일 경우 수가 고지는 필수이기 때문에, 교정 진단비처럼 임플란트 진단비라는 비급여 수가 항목을 만들어서 고지하는 것이 필요해요.

Q2
발치 후 지혈을 위해 지혈제를 사용하는데, 지혈제에 대해서는 비급여로 받아도 되나요?

치과에서 많이 사용하는 써지셀은 보험으로 등록되어 있어서 비급여로 비용을 받으면 안 되고 보험으로 청구하여 비용을 받아야 하고요, 현재 비급여로 받을 수 있는 지혈제는 큐탄플라스트가 있는데, 사용한다면 비급여 수가를 필수적으로 고지해 두어야 하고, 민원이 발생하지 않는 선에서 수가를 정하면 돼요.

03 수진자 자격조회

수진자 자격조회

건강보험 혜택을 받기 위해서는 우선 보험 자격을 갖추고 있어야 하고, 치과에서는 보험 자격을 갖추고 있는지 확인이 필요합니다. 이에 신환 내원 시 환자 정보 등록 후 수진자 자격조회를 시행하여 보험 자격 여부를 확인해야 해요. 보험 자격은 변동 가능성이 있기 때문에 구환 내원 시에도 수진자 자격조회를 시행해야 합니다.

1) 건강보험 가입자

· 국내에 거주하는 국민은 모두 건강보험 가입자가 되며, 직장가입자와 지역가입자로 구분되지만 건강보험의 혜택은 균등하게 보장받는다.

자격여부	건강 보험	자격취득일	20	세대주 성명	강수영
사업장기호	00000000000	증번호	8	건강생활유지비	
급여틀니대상					
급여임플란트					
본인부담여부		본인부담금이 있는 환자입니다.			
공상/산정특례					
선택의료기관					

2) 의료급여 수급권자

- 의료급여란 생활 유지의 능력이 없거나 일정 수준 이하의 저소득층을 대상으로 국가 재정에 의하여 기본적인 의료혜택을 제공하는 사회보장제도이다.
- 의료급여 수급권자는 1종과 2종으로 구분된다.
- 의료급여 1종의 경우 건강생활유지비 잔액도 확인 가능하다.

자격여부	의료급여 1종	자격취득일	20	세대주 성명	
보장기관기호	3	시설기호		건강생활유지비	4,500
급여틀니대상	조회된 65세 이상 급여 틀니 등록정보가 없습니다.				
급여임플란트	65세 이상 급여임플란트 등록됨				
본인부담여부	본인부담금이 있는 환자입니다.				
공상/산정특례					
선택의료기관					

- 건강생활유지비 잔액이 있는 경우 건강보험 진료 후 별도의 비용을 받지 않고, 건강생활유지비에서 우선 차감해야 하고, 잔액이 있더라도 급여 틀니와 임플란트 시술 후에는 건강생활유지비 차감이 아닌 본인부담금만큼 수납해야 한다.

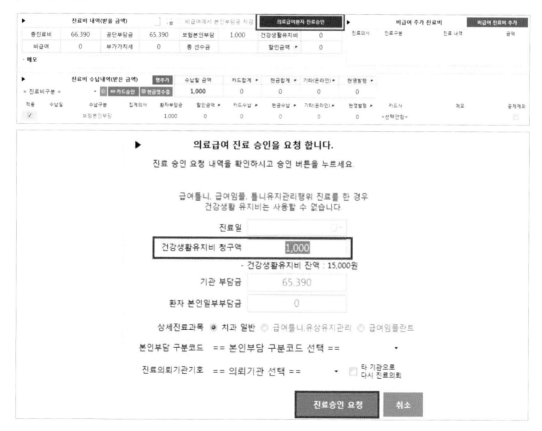

• 의료급여 1종 수급권자 중 지정한 선택 병·의원이 있는 경우 지정기관에서 의료급여의뢰서를 발급받고 내원해야 의료급여 혜택을 받을 수 있기 때문에 접수 시 확인이 필요하다.

자격여부	의료급여 1종	자격취득일	20	세대주 성명	
보장기관기호	5	시설기호		건강생활유지비	
급여틀니대상					
급여임플란트					
본인부담여부	본인부담금이 있는 환자입니다.				
공상/산정특례					
선택의료기관	가정의학과의원 (의료급여 의뢰서 필요)				의뢰기관

• 선택의료급여기관이 있는데, 의료급여의뢰서를 가지고 오지 않은 경우 총 진료비를 수납해야 하기 때문에 진료 전 미리 안내가 필요하다.

질문있어요!

Q1

수진자 자격조회 시 건강보험 적용을 받을 수 없는 무자격자라고 나와요. 사랑니 발치 시 진료비를 어떻게 받아야 하나요?

무자격자는 말 그대로 건강보험이 없는 환자분이므로 진료 시행 시 비급여에 해당돼요. 보험 청구할 필요 없이 비급여 비용으로 고지되어 있는 사랑니 발치 비용을 받으면 되고, 그럼 건강보험심사평가원에 진료비 청구도 필요하지 않는 거죠.

수진자 자격조회 누락으로 건강보험 무자격자 진료 후 건강보험으로 적용하여 보험 청구 시 해당 진료비에 대해서는 지급되기 않기 때문에 꼭 비급여 진료비를 수납해야 해요.

Q2

수진자 자격조회 시 현재 보험료 체납으로 급여제한되어 있다고 나와요. 사랑니 발치 시 진료비를 어떻게 받아야 하나요?

급여제한자 진료는 무자격자와 달리 건강보험에는 가입되어 있는 경우이기 때문에 건강보험으로 적용하고 총 진료비 전액(100%)을 환자분께 받으면 돼요. 이때 진료비 전액을 환자분이 냈어도 건강보험심사평가원에 보험 청구를 해야 하는데요. 환자분이 진료사실 통지 전 체납된 건강보험료를 완납 또는 진료사실 통지 후 2개월 내 체납보험료를 완납하면 국민건강보험공단이 환자분에게 청구액에 대한 공단부담금을 환급해 주는데, 보험 청구한 경우에만 공단에서 확인이 가능하기 때문에 보험 청구는 꼭 해야 해요.

급여제한자를 건강보험으로 적용하여 치과의원 기준 본인부담금 30%만 수납하게 되면, 결국 본인부담금에 해당하는 진료비만 수납하게 되고, 총 진료비에서 본인부담금을 제외한 공단청구액에 대해서는 지급되지 않겠죠? 그래서 꼭 총 진료비 전액을 환자분께 받아야 해요.

Q3

선택의료급여기관 지정 환자분인데, 의료급여의뢰서를 매 진료 시마다 받아야 하나요?

동일 상병에 대해서는 해당 진료가 종료될 때까지 추가 제출 없이 진료를 받을 수 있으나 다른 상병으로 진료를 받을 경우에는 다시 의료급여의뢰서를 받아야 해요.

이는 진단했던 진료에 대하여 해당 진료가 종료될 때까지는 추가 제출 없이 진료를 받을 수 있으나 진료가 추가된 경우 다시 의료급여의뢰서를 받아야 한다고 해석도 가능하니 처음 오셨을 때 정확한 진단이 중요하다고 할 수 있어요.

보험 청구의 기초

보험 청구의 기초

건강보험 진료 후에는 보험 청구 프로그램에 다음과 같이 입력합니다.

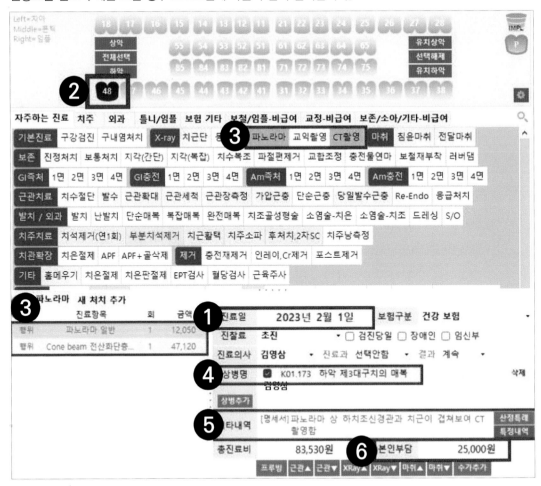

① 진료일을 선택한다.

② 치식을 선택한다.

③ 진료행위 선택 후 제대로 청구되어 있는지 확인한다.

④ 상병명을 선택한다.

⑤ 내역설명이 필요한 경우 기재한다.

⑥ 본인부담금을 확인하여 수납한다.

1) 상병명

질환이 있는 경우에 진료행위를 시행하는 것처럼, 건강보험 청구 시에는 건강보험의 진료행위를 시행했다는 타당성을 증명해야 하기 때문에 반드시 진료행위에 알맞은 상병명을 적용해야 한다. 건강보험 청구 시 상병명 선택에 어려움을 겪곤 하는데, 해당 진료행위를 시행한 원인이 무엇인지 확인하여 그에 맞게 적용하면 되고, 프로그램에 설정된 상병명만을 적용하지 않도록 주의해야 한다.

참고 자주 적용하는 상병명 정리

진료행위	필수로 적용해야 하는 상병명
급여 틀니	K08.1 사고, 추출 또는 국한성 치주병에 의한 치아상실
틀니유지관리	Z46.3 치과보철 장치의 부착 및 조정
급여 임플란트	K08.1 사고, 추출 또는 국한성 치주병에 의한 치아상실
치면열구전색	Z29.8 기타 명시된 예방적 조치

진료행위	자주 적용하는 상병명
보통처치	K02.- 치아우식 K04.- 치수 및 치근단주위조직의 질환 S02.5- 치아의 파절
치아진정처치, 치수복조	K02.- 치아우식
지각과민처치	K03.1- 치아의 마모 K03.80 민감 상아질 K06.0- 치은퇴축
즉일충전처치	K02.- 치아우식 K03.- 치아의 마모 S02.5- 치아의 파절
충전처치	K02.- 치아우식 K03.- 치아의 마모 S02.5- 치아의 파절 * 근관치료 후 시행 시 근관치료와 동일한 상병으로 적용 가능
광중합형복합레진충전	K02.- 치아우식(치수병변과 관련된 상병명은 적용 불가)
치아파절편제거	S02.5- 치아의 파절
교합조정술	K05.3- 만성 치주염 K07.2- 치열궁 관계의 이상 K07.3- 치아 위치의 이상 S03.20 치아의 아탈구 S03.21 치아의 합입 또는 탈출
보철물제거 (간단, 복잡)	T85.6 치과보철물의 파절 및 상실 * 제거하는 원인에 따라 치아우식, 치수염, 치주염 등 적용 가능
보철물재부착	T85.6 치과보철물의 파절 및 상실
구강내과 관련 진료행위	K07.6- 턱관절 장애
악관절탈구 비관혈적정복술	K07.62 턱관절의 재발성 탈구 및 아탈구 S03.0 턱의 탈구
응급근관처치	K04.4 치수기원의 급성 근단치주염 K04.6- 동이 있는 근단주위농양 K04.7 동이 없는 근단주위농양
치수절단	K02.2 시멘트질의 우식 K02.8 기타 치아우식 K04.00 가역적 치수염 K04.01 비가역적 치수염
근관치료	K02.2 시멘트질의 우식 K02.8 기타 치아우식 K04.- 치수 및 치근단주위조직의 질환 S02.54 치수 침범이 있는 치관 파절 S02.56 치관-치근파절
당일발수근충	K04.0- 치수염 K04.1 치수의 괴사 S02.54 치수 침범이 있는 치관 파절
근관내 기존 충전물 제거	K04.5 만성 근단치주염 K04.6- 동이 있는 근단주위농양 K04.7 동이 없는 근단주위농양

유치발치	K00.63 잔존[지속성][탈락성] 유치 K00.68 치아맹출의 기타 명시된 장애
단순발치	K02.2 시멘트질의 우식 K04.5 만성 근단치주염 K04.6– 동이 있는 근단주위농양 K04.7 동이 없는 근단주위농양 K05.3– 만성 치주염 S02.5– 치아의 파절
난발치	K00.44 절렬(만곡치) K02.2 시멘트질의 우식 K03.5 치아의 강직증 K08.3 잔류치근 * K03.5 치아의 강직증이 아닌 경우 심사 조정 가능성 높음
매복치 발치	위치에 따른 K01.1– 매복치 상병 적용
치과임플란트제거술	K05.3– 만성 치주염 T85.6 치과보철물의 파절 및 상실
발치와재소파술	K10.3 턱의 치조염
치조골성형수술	K08.81 불규칙 치조돌기 * 발치 당일 시행하는 경우 발치와 동일한 상병으로 적용 가능
구강내소염수술	K04.7 동이 없는 근단주위농양 K05.20 동이 없는 잇몸기원의 치주농양
협순소대절제술	Q38.00 이상 구순소대
설소대절제술	Q38.1 혀 유착증
치은판절제술	K00.68 치아맹출의 기타 명시된 장애 K05.22 급성치관주위염 K06.18 기타 명시된 치은비대
탈구치아정복술	S03.20 치아의 아탈구 S03.21 치아의 함입 또는 탈출
치아재식술	S03.22 치아의 박리(완전탈구) * 의도적 치아재식술 시 근관치료와 동일한 상병으로 적용 가능
치면세마	K05.0– 급성 치은염 K05.1– 만성 치은염
치석제거	K05.0– 급성 치은염 K05.1– 만성 치은염 K05.2– 급성 치주염 K05.3– 만성 치주염
치근활택술	K05.2– 급성 치주염 K05.3– 만성 치주염
치주소파술, 치은박리소파술	K05.30 만성 단순치주염 K05.31 만성 복합치주염 * 급성 상병명으로 적용 불가
치은절제술	K05.11 증식성 만성 치은염 K05.3– 만성 치주염 K06.1– 치은비대
치관확장술(가, 나, 다)	K02.2 시멘트질의 우식 K02.8 기타 치아우식 K04.– 치수 및 치근단주위조직의 질환 * 근관치료 후 시행 시 근관치료와 동일한 상병으로 적용 가능
잠간고정술	K05.3– 만성 치주염 S03.2– 치아의 아탈구

💬 질문있어요!

Q1
비가역적 치수염으로 발수를 진행했는데, 항생제 처방이 필요한 경우 근단 농양 관련 상병명으로 변경해도 되나요?

상병명은 진료행위의 원인에 맞게 적용해 주는 것이 맞는데요. 신경치료 시 프로그램에 세팅된 대로 **K04.01 비가역적 치수염** 상병으로 적용하는 경우가 많은데, 처음 적용 시 부터 정확하게 적용해 주는 것이 필요하고, 이미 월 청구를 보냈다면 내역설명을 기재(근단 농양이 심한 상태 등)하고 상병명을 변경하여 적용해 주면 돼요.

Q2
단순치주염과 복합치주염은 어떻게 구별해서 적용해야 할까요?

3–5 mm 정도의 수평적인 골흡수가 있다면 단순치주염으로, 5 mm 이상의 수직적인 골흡수가 있다면 복합치주염으로 적용해 주면 돼요.

2) 내역설명

타 치과에서 발치 후 내원하여 소독을 시행하는 경우 [수술 후 처치(가. 단순처치)]로 보험 청구를 할 수 있는데, 이때 진찰료는 초진료로 청구 가능하다. 수술 후 처치는 외과적 처치 후 시행하는 것으로, 외과적 처치가 선행되기 때문에 진찰료는 재진료로 청구를 해야 하는게 일반적이므로 초진료에 수술 후 처치를 청구하는 경우에는 심사 조정된다. 이때, 내역설명을 기재하게 되면 심사 조정을 줄일 수 있다.

내역설명이란 이처럼 진료행위에 부가적인 설명이 필요한 경우 기재하는 것으로 보험 청구자와 심사자 간의 대화라고 생각하면 된다. 내역설명을 어떻게 기재해야 할지 고민하는 경우가 많은데, 어렵게 생각하지 말고 장황하게 길게 쓰기보다는 진료 행위가 필요했던 원인을 간단하게 작성해 주면 된다.

(1) 내역설명을 반드시 해야 하는 경우

Cone beam CT를 촬영한 경우

예 파노라마 상 치근이 상악동과 겹쳐 보여 CT 촬영함
파노라마 상 치근이 하치조신경관과 겹쳐 보여 CT 촬영함
근관치료 중 계속적인 통증 호소하여 치근파절 여부 등 정확한 진단 위해 CT 촬영함

타 치과에서 시술 후 진료가 이어지는 경우

예 타 치과에서 파노라마 가져옴. 참고하여 발치 시행함
타 치과에서 충전한 충전물 연마 시행함
타 치과에서 발수 후 내원하여 근관치료 이어서 시행함
타 치과에서 발치 후 내원하여 소독/봉합사 제거 시행함

치석제거(가. 1/3악당) 시행 후 치주치료가 익월에 시행되는 경우

예 치주치료 예정 등

(2) 심사조정 여부에 참고가 되는 내역설명

발치 후 후처치가 많을 경우

예 발치 후 계속적인 통증 호소
발치 후 출혈 심함, 지혈 여부 확인 필요 등

충전 후 근관치료 시행하는 경우

예 충전 후 통증으로 발수 시행함

근관치료 시 근관세척이 많을 경우

예 근관치료 시 계속적인 통증 호소
근단 농양으로 지속적인 배농 필요 등

근관치료 도중 발치한 경우

예 근관확대 시행 후 수직 파절
계속적인 통증 및 염증 줄어들지 않아 발치 결정

기본진료비나 보통처치만 청구하는 경우

예 발치 전 처방전 발행

치수강 개방 시행 등 진료 내역을 기재

(3) 내역설명 기재방법

① [기타내역]을 클릭한다.

② 내역 입력 창에서 [명세서단위] 내역설명 혹은 [줄번호단위] 내역설명에 기재한다.

- 명세서단위(MX999): 진료일자의 진료 전체에 대한 내역설명

- 줄번호단위(JX999): 각 진료 행위에 대한 내역설명

- 심사조정이 많은 진료의 경우 줄번호단위 내역설명을 기재하면 심사조정을 줄일 수 있다.

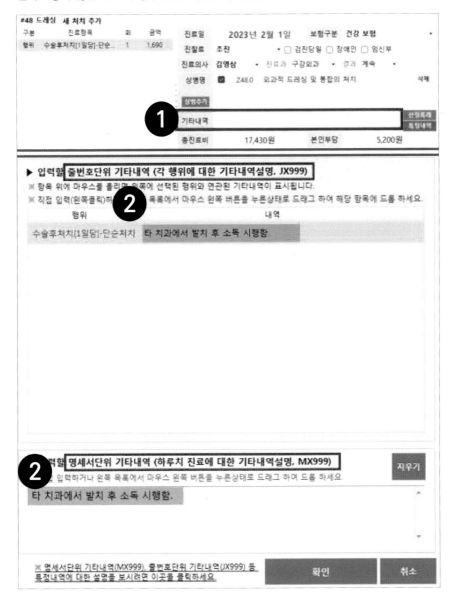

3) 본인부담금

의료법 제27조 3항에 의거하여 본인부담금의 면제나 할인, 금품제공, 교통 편의 제공 등은 금지되어 있다. 이 사항을 위반할 경우 3년 이하의 징역이나 3,000만 원 이하의 벌금형에 처해지게 되니 주의해야 하고, 건강보험 진료를 시행한 경우 꼭 진료에 따른 본인부담금을 수납해야 한다. 본인부담금은 프로그램에서 자동으로 계산되니 외우지는 않아도 되지만, 연령에 따라 본인부담금이 다르다는 개념은 알고 있는 것이 좋다.

(1) 국민건강보험의 본인부담금

구분	1세 이상–6세 미만	6세 이상–65세 미만	65세 이상	
치과의원	21%	30%	15,000원 이하	1,500원
			15,000원 초과 –20,000원 이하	10%
			20,000원 초과 –25,000원 이하	20%
			25,000원 초과	30%
치과병원 (동지역)	28%	40%	40%	

임신부 본인부담금(20% 인하)				
구분	치과의원	치과병원	종합병원	상급종합병원
본인부담률	10%	20%	30%	40%

❶ 일반 성인과 임신부의 경우 본인부담금 예시(치과의원)

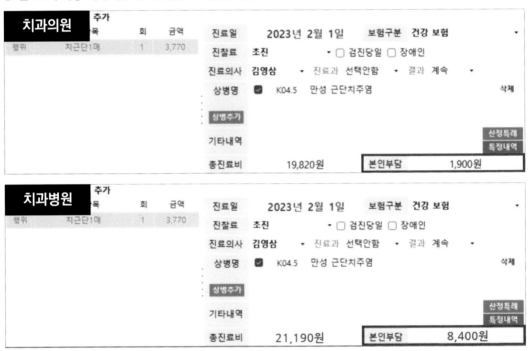

임신부의 경우 본인부담금 인하 혜택을 받을 수 있게, **임신부 자격을 꼭 적용해줄 수 있도록** 해야 한다.

❷ 만 65세 이상 치과의원과 치과병원의 본인부담금 차이 예시

만 65세 이상의 환자분이 치과의원에서 치근단 촬영을 한 경우 총 진료비가 20,000원 이하로 10%의 본인부담률이 적용되어 본인부담금은 1,900원이지만, 치과병원의 경우에는 40%의 본인부담률이 적용되어 본인부담금은 8,400원이 된다. 치과병원의 근무자는 이런 본인부담금의 차이를 이해하여 만 65세 이상의 환자분들께는 진료 전 진료비에 대해 안내해 주는 것이 필요하다.

질문있어요!

 Q1

보호자분이 5살과 7살의 두 자녀를 데리고 와서 치아진정처치를 했는데, 서로 본인부담금이 달랐어요. 왜 그런 건가요?

 연령에 따라 본인부담률이 다르기 때문이기도 하고, 연령에 따라 적용되는 가산율도 있기 때문에 총 진료비 및 본인부담금이 달라지는데요, 아래 표를 참고하면 돼요.

구분		가산 적용 내용
만 1세 미만	진찰료	초진 + 26.45점, 재진 + 16.67점
만 1세 이상 – 6세 미만	진찰료	초진 + 10.89점, 재진 + 6.86점
	30%	마취료
만 6세 미만	15%	방사선 단순영상 진단료(치근단, 파노라마)
	20%	방사선 특수영상 진단료(Cone beam CT)
만 8세 미만	30%	보통처치, 치아진정처치, 치아파절편제거, 즉일충전료, 충전료, 와동형성, 치수절단, 근관와동형성, 발수, 근관확대, 근관세척, 근관충전, 응급근관처치, 치면열구전색술, 광중합형 복합레진 충전
만 70세 이상	30%	마취료

예전에 어떤 선생님이 위와 같은 상황이 있었는데, 이 개념을 모르고 있어서 프로그램 오류인줄 알고 청구 내용을 몇 번이나 삭제하고, 다시 청구하는 것을 반복하다가 결국 적은 비용을 수납했다고 하더라고요. 연령별 가산 또한 프로그램에서 자동으로 적용되기 때문에 위 표를 외우지는 않아도 되지만, 질문과 같은 상황이 발생할 수 있으니 연령에 따라 가산이 적용되는 항목이 있다는 개념은 알고 있어야 하겠죠?

만 7세	근단, 마취 새 처치 추가			
	료항목	회	금액	
행위	치아진정처치[1치당](만8	1	2,010	
행위	치근단1매	1	3,770	
행위	외래환자 의약품관리료-	1	220	
행위	치과전달마취(하치조신	1	4,910	
약제	휴온스리도카인염산염수	1	356	

진료일　2023년 2월 1일　보험구분 건강 보험
진찰료　초진　□ 검진당일 □ 장애인
진료의사　김영삼　진료과 보존과　결과 계속
상병명　☑ K02.1 상아질의 우식　삭제
상병추가
기타내역　산정특례 / 특정내역

| 총진료비 | 28,360원 | 본인부담 | 8,500원 |

만 7세와 5세의 진료에 따른 청구 내역을 보면 총 진료비와 본인부담금이 다른 것을 볼 수 있는데요. 만 7세에는 치아진정처치에만 30% 가산이 적용되는 반면, 만 5세에는 진찰료에 가산, 치아진정처치, 치근단 촬영, 침윤마취에 가산이 적용되기 때문에 총 진료비가 높은 것을 볼 수 있어요. 하지만 만 5세가 본인부담금은 더 적은데, 왜 그런 걸까요? 바로 본인부담률 때문이에요. 치과의원에서 만 6세 미만의 경우 본인부담률이 21%이기 때문에 본인부담금이 적은 거예요. 이러한 이유로 연령에 따라 적용되는 가산율, 연령에 따른 본인부담률이 다르다는 개념을 알고 있어야 해요.

(2) 의료급여의 본인부담금

구분	본인부담금(률)			
	원외 처방전 (×)		원외 처방전 (○)	CBCT
	의약품 (○)	의약품 (×)	의약품 상관없음	
치과의원 1종	1,500원	1,000원	1,000원	5%
치과의원 2종	1,500원	1,000원	1,000원	15%
치과병원 1종	2,000원	1,500원	1,500원	5%
치과병원 2종	총액의 15% (임신부는 총액의 5%)			15%

❶ 의료급여 1종과 2종 수급권자가 Cone beam CT 촬영 시 본인부담금 차이 예시(치과의원)

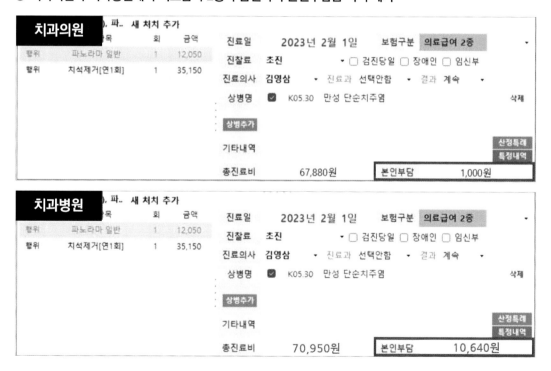

일반적으로 치과의원에 의료급여 환자가 내원한 경우 본인부담금이 1,000원 혹은 1,500원으로 나온다고 생각하는 경우 많으나, Cone beam CT(이하 CT)를 촬영한 경우에는 의료급여 1종의 경우 CT 비용의 5%, 의료급여 2종의 경우 CT 비용의 15% 본인부담금이 발생하기 때문에 이 내용 역시 숙지하여 진료 전 미리 안내해 주면 좋다. 안내가 안 되었을 경우, 환자분이 수납할 때 1,000원 혹은 1,500원이 아니라고 문의하는 경우가 있을 텐데, CT 비용에 대해서는 별도의 비용이 나온다는 설명이 필요하다.

❷ 치과의원과 치과병원에서 의료급여 2종 수급권자의 본인부담금 차이 예시

치과의원의 경우 의료급여 1종 수급권자와 2종 수급권자의 본인부담금 차이가 없지만, 치과병원의 경우에는 의료급여 1종과 2종 수급권자의 본인부담금 차이가 있고, 의료급여 2종 수급권자의 경우 총 진료비의 15%의 본인부담금이 발생하기 때문에 치과병원의 근무자는 환자분들께 미리 안내해 주는 것이 필요하다.

4) 진찰료(기본진료비)

기본진찰료와 외래관리료를 합하여 산정하고, 초진진찰료와 재진진찰료로 이루어진다.

– 공휴일 및 야간(평일 18시–익일 9시 / 토요일 13시 이후–익일 9시 – 치과의원은 전일)에 내원 시 기본
진찰료에 30% 가산을 적용한다.

(1) 초진과 재진

	초진	재진
기준	치료받은 경험이 없는 환자	치료가 종결되지 않아 계속해서 진료받고 있는 환자
치료 종결	30일 이후 내원	30일 이내 내원
만성치료 종결	90일 이후 내원	90일 이내 내원

* 치료의 종결이란 해당 상병의 치료를 위한 내원이 종결되었거나 투약이 종결된 경우이다.

예 **초진과 재진 구별하기 예시(진료기록부는 형식에 따르지 않음)**

	Date	Region	Treatment & Prognosis
초진	10/10	5	GI filling
초진	11/20	5	GI 탈락하여 내원, GI re-filling

11/20 기존 충전된 GI 탈락으로 재충전을 하였는데, 10/10 GI 충전 시 진료가 종결되었고, 재발하여 다시 같은 진료를 시행한다고 하더라도 30일 이후이면 초진으로 산정 가능하기 때문에 11/20 진료는 초진으로 산정한다.

	Date	Region	Treatment & Prognosis
초진	1/3	5	발수, 근관확대
재진	9/10	5	근관확대, 가압근관충전
초진	10/25	5	Re-endo

근관치료가 종결되지 않았을 경우 8개월 후에 내원하였다고 하더라도 계속해서 진료가 이루어지는 경우이기 때문에 9/10 진료는 재진으로 산정해야 하고, 근관충전을 시행했으면 진료가 종결된 것이기 때문에 10/25 Re-endo를 시행한 경우는 30일 이후여서 초진으로 산정한다.

	Date	Region	Treatment & Prognosis
초진	6/8	7-4	Scaling
재진	6/20	7-4	R.P
재진	9/1	7-4	Curette
초진	12/30	7-4	Scaling

치주치료의 경우 치료 종결이 불분명하기 때문에 초진과 재진의 기간을 90일로 본다. 90일 이내 내원하는 경우 재진이며, 90일 이후 내원하는 경우 초진으로 산정한다.

	Date	Region	Treatment & Prognosis
초진	9/18	8	Panorama (붓고 pain 있어 약 처방)
재진	11/5	8	B/A 3 amples, 복잡매복발치(Bur 사용)
재진	12/30	8	B/A 2 amples, 완전매복발치(Bur 사용)

매복치는 육안으로 진단할 수 없기 때문에 X-ray 촬영은 필수이다. 만약에 이전 X-ray를 참고하여 매복치 발치를 하는 경우에는 기간과 상관없이 재진으로 산정해야 하며, 내역설명을 기재하는 것이 좋다.

	Date	Region	Treatment & Prognosis
초진	5/3	4	SE-bond 도포
초진	9/10	4	SE-bond 도포

SE-bond를 도포하여 지각과민처치를 했다면 지각과민처치(나)로 산정 가능하며, 지각과민처치(나)는 6개월 이내 시행 시 진찰료만 산정해야 한다. 지각과민처치는 처치 당일 치료가 종결된 것이기 때문에 9/10 진료는 4개월 만에 지각과민처치(나) 재시행이라 진찰료만 산정해야 하지만, 30일 이후에 내원하였기 때문에 진찰료는 초진으로 산정 가능하다.

	Date	Region	Treatment & Prognosis
재진	5/3	7-　-7 7-　-7	교정치료
재진	5/25	6	self GI filling

진찰료는 보험 진료인 경우에만 적용되는 것이 아니라 비급여 진료를 포함하여 진료가 이어지거나 내원일에 따라서 적용해야 한다. 본원에서 교정치료를 진행한다면 교정치료는 비급여 진료이기 때문에 보험 청구하

는 경우가 없지만, 교정치료가 종결되지 않은 경우 교정치료 중 내원하여 보험 진료를 하는 경우에는 재진으로 산정해야 한다. 보험 청구 프로그램들은 30일이 지나면 진찰료가 초진으로 변경되니 진료가 이어지거나 종결되지 않았다면 꼭 재진으로 변경해야 한다.

(2) 진찰료만 산정하여야 하는 경우

① 구강진단 및 치료계획 수립만 한 경우

② 치은염, 지치주위염 등의 간단한 구강연조직질환의 처치를 한 경우

③ 발치 전 동통 감소를 위한 간단한 dressing 및 약 처방만 한 경우

④ 구강내 캔디다증 처치, 구내염 치료(약물도포)

⑤ 구강건조증 처치

⑥ 처방전만 발행하는 경우

⑦ 개폐구검사, 치아동요검사, 치수온도검사

⑧ 측두하악장애 행동요법

📋 진료기록부 예시

Date	Region	Treatment & Prognosis
2/1	765	C.C 입안이 헐었는지 따갑고 뜨거운 것을 잘 못 먹겠어요. Dx. 구내염 상악 우측 협점막 구내염 발생하여 알보칠 도포함.

Date	Region	Treatment & Prognosis
2/1	8	*18:30 내원 C.C 아래 사랑니 쪽 잇몸이 자주 붓고 아파요. Dx. 급성 치관 주위염 Tx. Saline dressing

🖱 청구화면 예시

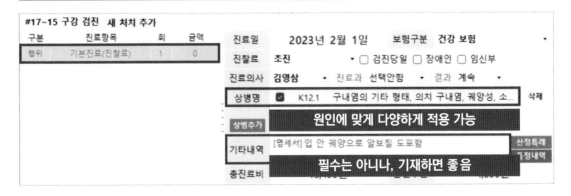

PART 1.

보험 청구의 기초

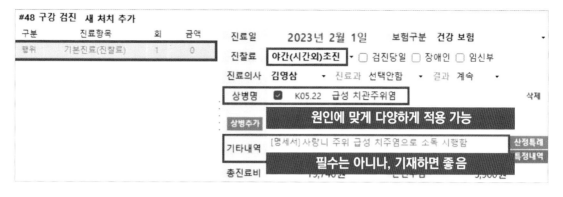

❶ [자주하는 진료]-[기본진료]-[구강검진] 혹은 [구내염처치]를 클릭한다.

❷ 야간 시간에 내원 시 진찰료 가산으로 인해 야간 적용을 해준다.

❸ 상병명은 진료 원인에 따라 구내염, 급성 치관주위염, 치아우식 등 다양하게 적용할 수 있다.

❹ 진찰료만 산정하는 경우 진료 내용을 내역설명에 기재해 주는 것이 좋다.

(3) 구강검진 시 진찰료 산정 방법

공단 구강검진, 영유아 구강검진 후 당일 진료	공단 구강검진, 영유아 구강검진 후 다른 날 진료(30일 이내)
진찰료의 50% 산정 가능	재진

❶ 구강검진 후 진료 시행 시 진찰료 적용 예시

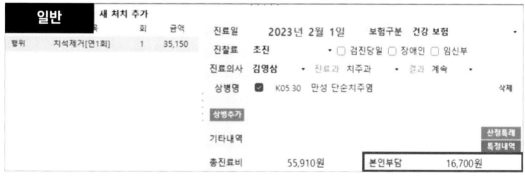

구강검진 후 당일 진료 시행 시에는 진찰료의 50%만 청구해야 하기 때문에 꼭 진찰료에서 **[검진 당일]**을 체크해야 한다. 또한, **구강검진 당일에는 진찰료만 청구하는 경우는 없도록** 해야 한다.

5) 처방전의 발급

(1) 원외처방전을 발급하는 경우 처방료는 기본진료료에 포함되어 있어 별도의 진료비가 없다.

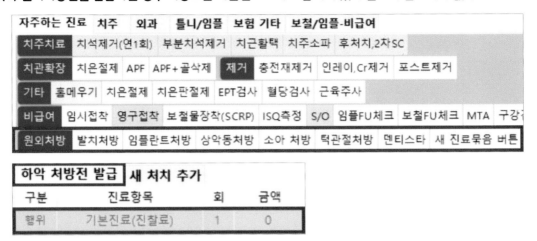

(2) 처방전 발급 시 기본적인 내용

❶ **일률적인 처방을 하지 않는다.**

항생제, 진통소염제, 소화제를 항상 같은 일수대로 처방하는 경우가 많은데, 환자의 구강 상태에 맞게 약을 처방하는 것이 바람직하다.

❷ **교부번호는 약국과 일치해야 한다.**

❸ **같은 성분의 약이면 가급적 저가의 약으로 처방해야 하며, 일률적으로 고가의 약을 처방하는 것은 바람직하지 않다.**

❹ **저함량 배수 처방을 하지 않는다.**

항생제 500 mg을 처방하려고 할 때, 500 mg 1알 혹은 250 mg 2알 처방할 수 있는데, 500 mg 1알을 처방하라는 것이다.

❺ **항생제는 꼭 필요한 경우에만 처방한다.**

일반적으로 치수염 상병에는 항생제를 처방하지 않도록 해야 한다. 항생제를 먹는다고 해서 치수 내 항생제 농도가 높아지지 않기 때문에 주의해야 하며, 근관치료 시 항생제 처방이 필요한 경우에는 치근단 병소 상병으로 적용할 수 있도록 해야 한다. 또한, 치석제거만으로 치주치료가 종료되는 경우에는 단순 치은염인 경우가 많기 때문에 항생제 처방은 하지 않는 것이 좋다.

❻ **같은 효능의 약을 2개 처방하지 않는다.**

두 가지 종류의 항생제나 진통제를 처방하는 경우가 있는데, 건강보험의 경우 같은 효능을 가진 약을 두 가지 처방했을 때 1개 종류의 약만 보험으로 인정이 된다. 이런 경우 하나는 건강보험으로 나머지는 비급여로 처방해야 한다.

구분	약품명	1회 투약량	1일 투약횟수	총 투약일수	용법
내복약	제뉴원세파드록실캡슐(세파드록실수화물)_(0.5g/1캡슐)	1	2	3	식사 30분 후 복용
내복약	대화이부프로펜정400밀리그램(수출명:UPRO400,IBUFEN)_(0.4g/1정)	1	3	3	식사 30분 후 복용
내복약	모사프리정(모사프리드시트르산염수화물)_(5.29mg/1정)	1	3	3	식사 30분 후 복용
내복약	[비급여] 아트정_(1정)	1	3	3	식사 30분 후 복용

PART 1.

보험 청구의 기초

❼ 비급여 진료 시에는 처방도 비급여로 해야 하며, 원외처방전 구분에서 [기타]에 체크하면 된다.

▶ 원외 처방전 구분
　○ 건강보험　　○ 의료급여　　산재보험　　○ 자동차보험　　◉ 기타(비급여)

❽ 가글용제 처방 시에는 1일 100 ml까지만 보험으로 처방이 가능하고, 인정 용량을 초과한 경우에는 초과한 용량의 약값 전액을 환자가 부담해야 한다.

구분	약품명	1회 투약량	1일 투약횟수	총 투약일수	용법
내복약	제뉴원세파드록실캡슐(세파드록실수화물)_(0.5g/1캡슐)	1	2	3	식사 30분 후 복용
내복약	대화이부프로펜정400밀리그람(수출명:UPRO400,IBUFEN)_(0.4g/1정)	1	3	3	식사 30분 후 복용
내복약	모사프리정(모사프리드시트르산염수화물)_(5.29mg/1정)	1	3	3	식사 30분 후 복용
외용약	헥사메딘액(클로르헥시딘글루콘산염액)_(0.5mL/100mL)	1	1	1	1일 2회 구강 소독

▶ 처방 내역　환자 투약 안내문 입력　처방일수 3 일 ☑ 처방일수 변경시 투약일수 합계변경　의약품 검색 / 추가

가글용제 처방 시 100 ml까지만 인정되기 때문에 투약량, 투약횟수, 투약일수가 모두 '1'로 적용할 수 있도록 해야 한다. 간혹 처방일수를 변경하면서 용량을 초과하여 처방하는 경우가 있으니 주의해야 하며, 건강보험 환자의 경우 가글용제만 단독으로 처방하는 경우, 환자가 약국에서 처방전 없이 구입하는 비용보다 더 많은 비용을 내야할 수 있으므로 단독으로 처방하지 않도록 하고, 의료급여 환자의 경우는 단독이어도 처방을 해줘야 약값의 부담을 덜 수 있다.

❾ 처방전 재발급 시 기준

▶ 원외 처방전 발급 정보
　발급일 2023-02-01 　처방전 유효기간 5 일

사용기간 이내	사용기간 경과 후	약 수령 후 약 분실
진찰료 산정 불가	진찰료 산정 가능	전액 환자 부담(비급여)

처방전 분실로 재발급해야 하는 경우 단순히 분실된 처방전과 동일하게 재발급하는 경우에는 진찰료를 별도로 산정할 수 없으며, 이때 처방전 교부번호는 기존의 교부번호를 그대로 사용하고, 재발급한 사실을 처방전에 표기하고 기존 처방전을 재출력해서 드리면 된다. 처방전 사용기간 경과 후에 재발급하는 경우에는 처방전 발급 여부를 치과의사의 판단하에 이루어져야 하기 때문에 진찰료가 발생한다. 약국에서 이미 약을 구입 후 약을 분실한 경우에는 환자에게 귀책사유가 있으므로 약 구입 전액을 환자가 부담해야 하기 때문에 비급여로 처방하면 된다.

6) 방사선 촬영

- 방사선 촬영 수가에는 촬영료(70%)와 판독료(30%)가 포함되어 있다.
- 방사선 촬영에는 판독료가 포함되어 있어 촬영 후 판독소견은 필수적으로 작성해야 하며, 치근단 촬영과 파노라마 촬영 시 판독소견서는 진료기록부에 작성해도 되지만, Cone beam CT 촬영 시에는 반드시 별도의 판독소견서에 작성해야 한다.
- 만 6세 미만의 소아의 경우 치근단 촬영 및 파노라마 촬영 시 15% 가산되고, Cone beam CT 촬영 시에 20% 가산이 적용된다.
- 부주의 혹은 촬영 기술 부족으로 인해 재촬영 시에는 별도로 산정 불가하다.

(1) 치근단 촬영(Periapical Standard View, PS Taking)

치아의 내부 또는 치조골 등을 관찰하는데 가장 유용한 일반적인 치근단 방사선 사진이다.

산정기준

- 치아우식, 치주질환, 치아파절, 근관치료, 발치 등 일반적인 치과치료에 대부분 산정 가능하다.
- 동일 부위 촬영 목적이 다른 방사선은 각각 인정한다.

  예 근관충전 시 마스터 콘을 삽입하여 확인하고 실링 후에 추가로 촬영한 경우

  발치 시 치근파절 여부 등을 확인하기 위해 추가 촬영한 경우

  당일발수근충 시 진단, 근관장측정검사, 가압근충 후 촬영한 경우

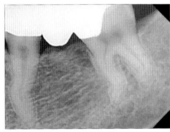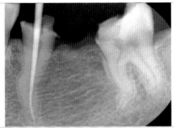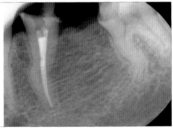

#11 당일발수근충 새 처치 추가

구분	진료항목	회	금액
행위	치근단1매	3	11,310
행위	당일발수근충[1근관당]-...	1	33,530
재료	NI-TI FILE	1	12,000
행위	러버댐장착[1악당]	1	2,470
행위	치과침윤마취(1/3악당)	1	1,490
약제	휴온스리도카인염산염수...	1	356
행위	외래환자 의약품관리료-...	1	220

진료일 2023년 2월 1일 보험구분 건강 보험

진찰료 초진 □ 검진당일 □ 장애인 □ 임신부

진료의사 김영상 진료과 보존과 결과 계속

상병명 ☑ K04.01 비가역적 치수염 삭제

상병추가

기타내역

산정특례 특정내역

총진료비 84,180원 본인부담 25,200원

● 동일 부위에 동일 목적으로 2장 이상 촬영 시에 두 번째 장부터는 별도의 수가로 인정하며, 최대 5장까지 인정한다. 6장부터는 촬영판독료는 인정하지 않으며, 필름 값만 인정한다.

> **예** 근관치료 시 근관의 방향과 근관수 확인 등을 위해 각도 달리하여 촬영한 경우
> 매복치 발치 시 하악관과 치근 사이의 거리 등을 확인하기 위해 각도 달리하여 촬영한 경우
> 일반 발치 시에도 만곡된 치근의 방향이나 형태를 분석하기 위해 각도 달리하여 촬영한 경우
> 동일 치아라도 치근단 관찰을 위한 경우와 인접면 관찰을 위해 각도 달리하여 촬영한 경우
> 치근파절이 의심되어 파절된 단면을 확인하기 위해 각도 달리하여 촬영한 경우 등

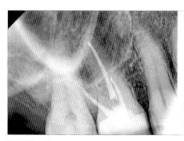 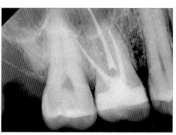

#16 가압 근충 새 처치 추가

구분	진료항목	회	금액
행위	치근단 동시 2매	1	5,930
행위	가압근관충전[1근관당]	3	26,520
행위	근관장측정검사[1근관 1...	3	4,380
행위	러버댐장착[1악당]	1	2,470
행위	치과전달마취(후상치조...	1	3,840
약제	휴온스리도카인염산염수...	1	356
행위	외래환자 의약품관리료-...	1	220

진료일	2023년 2월 1일	보험구분	건강 보험	▾
진찰료	재진	▾	☐ 검진당일 ☐ 장애인 ☐ 임신부	
진료의사	김영삼	▾	진료과 보존과 ▾ 결과 계속 ▾	
상병명	☑ K04.01 비가역적 치수염			삭제

상병추가

기타내역					**산정특례** **특정내역**
총진료비	60,450원		본인부담	18,100원	

(2) 교익촬영(Bitewing View)

설측에 치근단 필름을 위치시킨 다음에 상·하악을 교합시킨 상태에서 촬영하는 방사선 사진이다. 치아를 가장 수직적으로 촬영하는 방법으로 인접면 충치나 초기 치주질환의 진행 여부를 판별하는데 매우 유용하다.

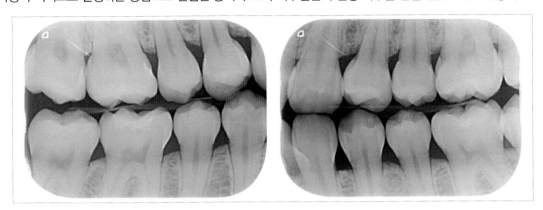

청구화면 예시

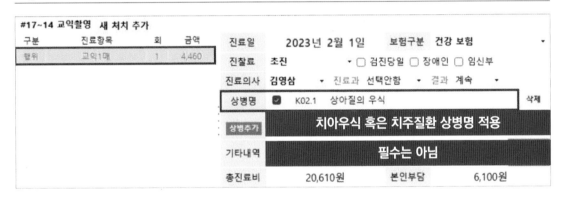

❶ [자주하는 진료] – [X-ray] – [교익촬영]을 클릭한다.
❷ 상병명은 치아우식, 만성 단순치주염 등으로 적용한다.

(3) 파노라마 촬영(Panoramic View)

> 가. 일반
> 나. 특수(악관절, 악골절 단면)

가. 일반

치아 및 악안면 영역을 전체적으로 진단하는데 필요한 방사선 사진이다.

인정기준

- 전체적인 치주질환 상태 관찰을 위한 경우
- 치아맹출 여부 확인을 위한 경우(단, 해당 치아가 맹출되는 평균 연령을 초과한 경우)
- 매복치의 위치, 형태, 매복정도 확인을 위한 경우
- 외상 등 기타 이유로 개구장애가 있거나 구토 반사 등으로 구내촬영이 불가능한 경우
- 부분적인 치근단 촬영만으로 진단이 불충분하여 그 필요성이 인정되는 경우

산정기준

- 파노라마 촬영 후 정확한 진단을 위해 당일 추가로 치근단 촬영을 시행한 경우 별도 인정되나 일률적으로 두 가지 촬영기법을 이용한 경우 심사 조정될 수 있다.
- 6개월 이내에 재촬영한 파노라마는 치료 전후의 상태 변화 및 결과 관찰 등을 위하여 필요시에는 촬영 가능하나, 특별한 증상 및 사유나 의학적 근거 없이 6개월 이내에 재촬영한 경우는 인정하지 않는다.

진료기록부 예시

Date	Region		Treatment & Prognosis
2/1	7-- | --7 7-- | --7		C.C 가끔 잇몸에서 피가 나요. Dx. 만성 단순치주염(K05.30) Tx. Panorama taking 전반적으로 수평적 골흡수 보임

청구화면 예시

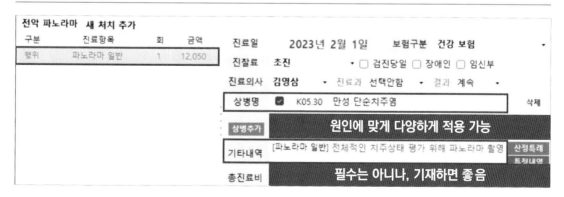

❶ [자주하는 진료] - [X-ray] - [파노라마]를 클릭한다.

❷ 상병명은 치아우식, 단순치주염 등으로 다양하게 적용한다.

❸ 내역설명은 필수 기재사항은 아니지만 기재해 주면 좋다. 6개월 이내 재촬영한 경우에는 필수적으로 기재해야 한다.

나. 특수(악관절, 악골절 단면)

일반적인 파노라마장비를 이용하여 악골 절단면이나 악관절, 상악동을 촬영하여 전반적인 평가를 시행하는 경우에 해당한다. 악관절 촬영의 경우 좌우측 악관절의 폐구와 개구상태를 2번 촬영하는 방법으로 4장의 영상이 얻어진다.

🔍 산정기준

- 측두하악관 및 악골 절단면의 평가, 상악동의 전반적인 평가 및 진단을 위한 경우 산정 가능하다.
- 파노라마 일반 촬영과 동시 시행한 경우 각각 100% 산정 가능하다.

📋 진료기록부 예시

Date	Region	Treatment & Prognosis
2/1	7-- | --7	C.C 가끔 턱에서 소리가 나고 아파요. Dx. 턱관절내장증(K07.60) Tx. Panorama taking & TMJ 촬영 우측 과두 흡수 양상 보임

🖱 청구화면 예시

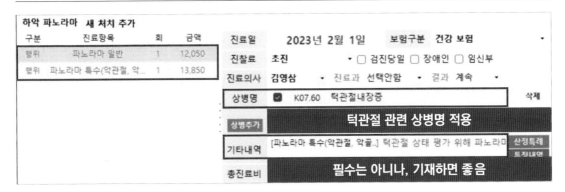

❶ [자주하는 진료]-[X-ray]-[파노라마] / [보험기타]-[X-ray]-[악관절파노라마]를 클릭한다.

❷ 상병명은 턱관절 관련 상병으로 적용한다.

❸ 내역설명은 필수 기재 사항은 아니지만 기재해 주면 좋다.

질문있어요!

 Q1
파노라마 촬영 후 #46 치아 근단에 염증이 있어 치근단 촬영을 했습니다. 각각 청구 가능한가요?

네, 각각 100% 청구 가능해요. 이때 판독소견을 진료기록부에 기재해 주는 게 중요하니 꼭 기록해 주세요.

 Q2
3개월 전에 파노라마 촬영을 했는데, 발치한 치아도 많고, 치주상태를 재평가해야 해서 또 파노라마를 촬영했어요. 청구 가능할까요?

 구강내 큰 변화가 있다면 6개월 이내에 파노라마를 재촬영하더라도 청구 가능한데요, 내역설명을 필수로 기재해 주고, 위에서 말씀드렸듯이 이때도 판독소견이 중요하니 진료기록부에 자세하게 기재해 주세요.

(4) Cone Beam 전산화단층 영상진단(Cone Beam Computed Tomography)

Cone Beam 전산화단층 영상진단은 단순촬영(치근단, 교익촬영 등), 파노라마 촬영 등만으로 진단이 불확실한 경우에 한하여 인정되는 항목이다.

　가. 일반
　나. 3차원 CT

산정기준

가. 치아부위 적응증(확대고시 제 2017-173호(행위) 2017년 10월 1일 시행)
- 근관(신경)치료의 경우
  - 통상적인 근관(신경)치료 시 비정상으로 계속적인 동통을 호소하는 경우: 치근의 파절이나 비정상적인 근관형태로 추가적인 근관치료를 요하는 경우
  - 치근단절제(Apicoectomy)또는 치아재식술을 요하는 경우로써 해부학적으로 위험한 상태로 하치조관이나 이공, 상악동 부위에 병소가 위치하여 정확한 진단이 필요한 경우
- 매복치의 경우(제3대구치 포함)
  - 차41마(3) 완전 매복치 발치술과 관련된 완전 매복치
  - 제3대구치는 치근단, 파노라마 촬영 등에서 하치조관 또는 상악동과 치근이 겹쳐 보여 발치의 위험도가 높은 경우
- 치아나 치조골의 급성외상에 의한 치아의 함입 등으로 인해 계승치아에 미치는 영향의 진단

나. 안면 및 두개기저 부위

- 3치관 크기 이상의 치근낭
- 타액선 결석
- 임상소견상 수술을 요할 정도의 상악동염
- LeFort I, II, III 골절 혹은 협골부 안와의 blow-out 골절, 하악골의 복합, 복잡골절 혹은 하악과두골절
- 악안면 기형 수술의 전후 평가
- 낭종 또는 염증성 질환

다. 측두하악관절 부위

- 강직(Ankylosis)과 감별진단을 요하는 심한 임상적 개구제한
- 골 변화를 동반하는 관절염(퇴행성, 류마티스성, 감염성) 및 과두형태의 이상
- 스플린트 치료에 반응하지 않는 측두하악장애
- 악관절 수술의 전후 평가(고시 제 2009-180호, 09.10.01 시행)

📋 진료기록부 예시

Date	Region	Treatment & Prognosis
2/1	8	C.C 사랑니가 잇몸 안에 있는데, 뽑아야 한다고 하더라구요. Dx. Impacted teeth (K01.173) Panorama taking 1매 Cone beam CT taking of impacted tooth (#38) (파노라마 사진 상에서 하치조신경관이 치근과 겹쳐 보여 CT 촬영) 판독소견서 기록

예 Cone beam CT 판독소견서 예시

🖱 청구화면 예시

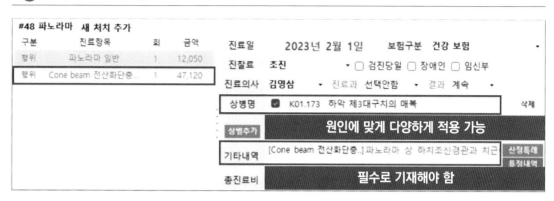

❶ [자주하는 진료]-[X-ray]-[CT 촬영]을 클릭한다.

❷ 상병명은 매복 관련, 근관치료 관련 등의 CT 촬영 원인의 상병명을 적용해 준다.

❸ 내역설명은 필수로 기재해 준다.

❹ 참고) 이전 X-ray를 참고하여 CT를 촬영한 경우 [재진료]로 산정해야 한다.

🎧 질문있어요!

 Q1

#38 치아가 매복치이고, 파노라마상 하치조신경관과 치근이 겹쳐 보여 CT 촬영 후 발치를 하였는데, 잇몸만 절개 후 발치하여 단순매복발치로 청구했습니다. 이때 CT도 함께 청구 가능한가요?

 네, 가능해요. 사랑니의 경우 치근단, 파노라마 촬영 등에서 하치조관 또는 상악동과 치근이 겹쳐 보여 발치의 위험도가 높은 경우에 정확한 진단을 위해 CT를 촬영했다면 함께 청구 가능해요. CT 산정기준에 완전매복치 발치술과 관련된 완전매복치라는 기준으로 인해 헷갈릴 수 있을 텐데요. 이는 사랑니를 제외한 치아를 말하는 것으로 예를 들어 전치부에 과잉매복치가 있는데, 완전 매복으로 위치 확인을 위해 CT 촬영한 경우예요. 사랑니의 경우는 꼭 완전매복발치가 아니어도 기준에 해당된다면 촬영 후 청구 가능하고, 별도의 판독소견서에 판독소견을 기재해 주는 것이 중요해요.

 Q2

저희는 3차원 CT 장비로 촬영하는데 '나. 3차원 CT'로 청구하면 될까요?

아니요. 구강의 전체적인 구조를 확인하는 '일반 CT'와 병변 부위를 추가적으로 정밀하게 보기 위해 재구성하는 '3차원 CT'의 적응증은 별도로 정해지지는 않는데, 건강보험심사평가원에서 사례별로 확인하여 적용하고 있어요. 3차원 영상 재구성 시행을 했다고 하더라도 매복치의 경우는 과잉치를 제외한 대부분이 '가. 일반'으로도 치료방향 설정 및 수술계획 수립이 가능한 것으로 판단되기 때문에 '나. 3차원 CT'는 인정되지 않아서 '가. 일반'으로 청구해야 해요. 근관치료와 관련하여 촬영하는 경우나, 과잉치 위치 확인 등을 위해 촬영하는 경우는 '나. 3차원 CT'로 청구 가능하긴 하나 사례별로 인정하고 있기 때문에 재심사조정청구를 통해서 인정받아야 해요.

Q3
3개월 전에 치주질환 때문에 파노라마를 찍었고, 3개월 후 사랑니가 불편하다고 내원하셨는데 하치조신경관과 치근이 겹쳐 보여 CT 촬영했어요. 매복치 발치까지 진행하여 청구했는데 진찰료가 재진으로 조정됐더라고요. 왜 그런 건가요?

CT는 치근단 및 파노라마 상 진단이 어려워 촬영하게 되는데, 이전에 촬영한 파노라마를 보고 진단을 했던 것이기 때문에 진찰료는 '재진'으로 산정해야 해요. X-ray가 필요한 진료에서 이전 X-ray를 참고한 건 모두 '재진'이라고 생각하면 되고, 임상에서 많이 하는 실수 중에 하나니 꼭 기억해두면 좋을 것 같아요.

7) 마취료

마취료부터는 산정단위(범위)가 있기 때문에 산정단위에 대해서 알아두어야 한다.

(1) 산정단위(범위)

❶ 구강당

8 7 6 5 4 3 2 1 1 2 3 4 5 6 7 8
8 7 6 5 4 3 2 1 1 2 3 4 5 6 7 8

❷ 악당

8 7 6 5 4 3 2 1 1 2 3 4 5 6 7 8
8 7 6 5 4 3 2 1 1 2 3 4 5 6 7 8

❸ 1/2악당

8 7 6 5 4 3 2 1	1 2 3 4 5 6 7 8
8 7 6 5 4 3 2 1	1 2 3 4 5 6 7 8

❹ 1/3악당

8 7 6 5 4	3 2 1 1 2 3	4 5 6 7 8
8 7 6 5 4	3 2 1 1 2 3	4 5 6 7 8

❺ 치아당

8	7	6	5	4	3	2	1	1	2	3	4	5	6	7	8
8	7	6	5	4	3	2	1	1	2	3	4	5	6	7	8

※ 1/2악당, 1/3악당 산정단위의 진료행위인 경우 인접한 치아 1~2개는 별도로 산정할 수 없다.

예 10번대 전달마취(1/2악당)를 시행하고, #21 침윤마취 시행 시 #21 치아는 1/2악당인 #11 치아와 바로 인접한 치아이기 때문에 침윤마취는 별도로 산정할 수 없다.

```
       전달마취              침윤마취
   8 7 6 5 4 3 2 1     1 2 3 4 5 6 7 8
                        침윤마취 산정불가
   8 7 6 5 4 3 2 1     1 2 3 4 5 6 7 8
```

(2) 마취료의 공통 산정기준

① 구성: 행위료(침윤 혹은 전달마취) + 약제료(리도카인) + 의약품관리료

구분	마취의 구성 항목	회	금액
행위	치과침윤마취(1/3악당)	1	1,490
약제	휴온스리도카인염산염수...	1	356
행위	외래환자 의약품관리료-...	1	220

② 만 1~6세 미만, 만 70세 이상의 경우 마취 행위료에 30% 가산이 적용된다.

③ 동일 부위에 2가지 이상의 마취를 병용한 경우 주된 마취만 인정되며, 리도카인은 사용한 만큼 모두 산정 가능하다.

④ 의약품관리료는 1일 1회만 산정 가능하다.

⑤ 표면마취는 별도 산정 불가하다.

(3) 마취의 종류

❶ 치과침윤마취(Dental Infiltrative Anesthesia) [1/3악당]

- 치료할 치아의 주위 조직에 마취하는 방법으로 치과치료 시 마취를 하는 경우 가장 많이 시행하고, 치수나 치주인대에 직접 마취하는 경우에도 해당된다.
- 유치, 영구치 전악에 산정 가능하다.

❷ 후상치조신경전달마취(Dental Block Anesthesia – Posterior Superior Alveolar Nerve) [1/2악당]

- 상악 구치부 후방 전정에 마취제를 주사하여 상악 구치부를 마취하는 방법으로 상악 구치부 치료에 사용된다.
- 상악 유구치에 산정 불가하다.

❸ 하치조신경전달마취(Dental Block Anesthesia – Inferior Alveolar Nerve) [1/2악당]

- 하악지의 안쪽에서 하치조신경이 하악지 내로 들어가기 전의 위치에 마취제를 주사하여, 하악 전체를 마취하는 방법으로 하악 구치부 치료 시 주로 사용된다.
- 하악 유구치(D, E) 치료 시 산정 가능하다.

❹ 비구개신경전달마취(Dental Block Anesthesia – Nasopalatal Nerve) [1/2악당]

- 상악 전치부 설측의 비구개공 위치에 마취하여 상악 전치부 설측 점막을 마취하는 방법으로, 통증이 굉장히 심한 마취 중 하나이다.
- 상악 전치부의 외과적 술식으로 상악 정중과잉매복치 발치 등의 구강외과수술, 치은박리소파술 등의 치주수술에 한하여 산정 가능하다.

❺ 이신경전달마취(Dental Block Anesthesia – Mental Nerve) [1/2악당]

- 하악 이공 부위(하악 3–5번 전정부위)에 마취하는 방법으로 하악 전치부 점막 등의 치료에 사용된다.
- 일반적으로 해당 부위는 침윤마취로 적용하므로 자주 사용되지는 않는다.

예 마취료 청구 예시

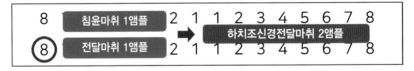

#48 매복사랑니를 발치하기 위해 침윤마취 1앰플 시행했으나, 발치 시 통증으로 전달마취 1앰플을 추가 시행했을 경우, 동일 부위에 2가지 이상의 마취를 병용한 경우 주된 마취만 인정되며, 리도카인은 사용한 만큼 모두 산정 가능하기 때문에 '하치조신경전달마취 2앰플'로 청구하면 된다.

#48 매복사랑니를 발치하기 위해 전달마취 1앰플, #42 신경치료를 위해 침윤마취 1앰플을 시행했을 경우, 전달마취 산정단위는 1/2악당으로 #41–48 치아가 포함된다. 동일 부위에 침윤마취를 시행하였기 때문에 이 예시 또한 동일 부위에 2가지 이상의 마취를 병용한 경우 주된 마취만 인정된다는 기준이 적용돼서 '하치조신경전달마취 2앰플'로 청구하면 된다.

#48 매복사랑니를 발치하기 위해 전달마취 1앰플, #33 신경치료를 위해 침윤마취 1앰플을 시행했을 경우 산정범위에 서로 포함되지 않기 때문에 각각 100% 청구하면 된다.

8) 프로그램 활용

보험 청구 프로그램은 각 진료과목별로 탭이 만들어져 있고, 그 탭 안에 보험 산정기준에 맞게 처치버튼이 만들어져 있어서 편리하게 청구를 할 수 있다. 병원에서는 처음 프로그램을 다운로드받은 그대로 처치버튼을 사용하는 경우가 많은데, 조금만 활용하면 우리 병원에 맞게 변경하여 좀 더 간편하게 보험 청구를 할 수 있다.

[자주하는 진료] – [근관치료]를 예를 들어 보면, 당연히 환자분의 치아 상태에 따라 근관치료는 술식과 횟수가 달라질 수 있다. 하지만 대부분 근관치료 첫날에 발수와 근관확대를 시행하고, 계속 근관치료를 시행하면서 마지막 근관충전 시에도 근관확대 후 근관충전을 시행하는 경우가 많다.

근관치료 항목 산정 가능 횟수를 살펴보면 발수와 근관와동형성, 근관충전은 완료 시 1회 산정 가능하고, 근관확대, 근관성형 2회, 근관장측정검사 3회, 근관세척 5회(농양이 심할 경우 그 이상도 가능) 산정 가능하다.

3회 내원하여 근관치료를 진행한다고 가정했을 때 매회 근관확대와 근관성형을 시행하더라도, 1회차 때 발수, 근관와동형성, 근관확대, 근관성형, 근관장측정검사, 나이타이 파일 / 2회차 때 근관세척, 근관장측정검사 / 3회차 때 근관확대, 근관성형, 가압근관충전 이렇게 청구하는 게 좋다. 그럼 2회 내원하여 근관치료가 완료됐을 때는 위 과정에서 2회차를 빼서 청구하면 되기 때문이다.

근관치료 1회 완료	
1회차	당일발수근충

근관치료 2회 완료	
1회차	발수, 근관와동형성, 근관확대, 근관성형, 근관장측정검사, 나이타이파일
2회차	근관확대, 근관성형, 근관장측정검사, 가압근관충전

근관치료 3회 완료	
1회차	발수, 근관와동형성, 근관확대, 근관성형, 근관장측정검사, 나이타이파일
2회차	근관세척, 근관장측정검사
3회차	근관확대, 근관성형, 근관장측정검사, 가압근관충전

근관치료 4회 완료	
1회차	발수, 근관와동형성, 근관확대, 근관성형, 근관장측정검사, 나이타이파일
2회차	근관세척, 근관장측정검사
3회차	근관세척
4회차	근관확대, 근관성형, 근관장측정검사, 가압근관충전

위 표를 보면 알 수 있듯이 근관치료를 4회 이상 시행하더라도 매 근관치료마다 첫날과 마지막 날은 같은 항목을 청구하고, 그 사이에 근관세척만 반복해서 청구하면 되는 것을 볼 수 있다. 그렇기 때문에 보험 청구 프로그램에서 근관치료를 3회로 만들어 두면 좀 더 간편하게 보험 청구를 할 수 있고, 누락되는 항목도 없을 것이다.

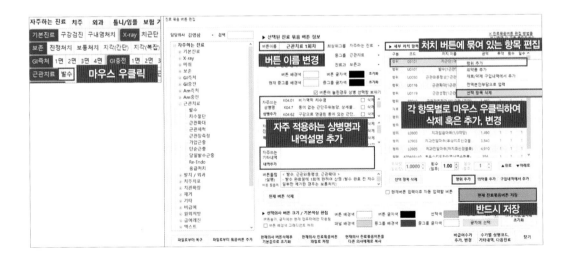

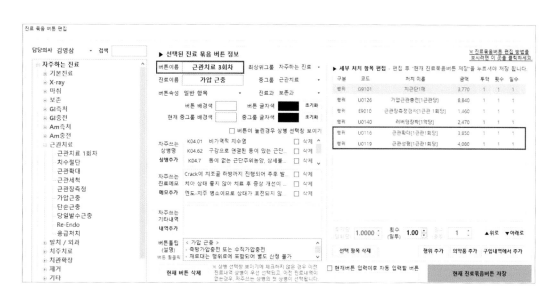

그뿐만 아니라 소아치료를 많이 하는 병원에서는 [자주하는 치료]에 [유치 근관치료] 중그룹을 만들어서 유치에 많이 하는 치수절단, 단순근충 등의 처치버튼을 만들어도 좋을 것이다. 이때, 당일발수근충은 유치와 영구치 수가가 별도로 정해져 있기 때문에 구분해서 넣는 게 좋다.

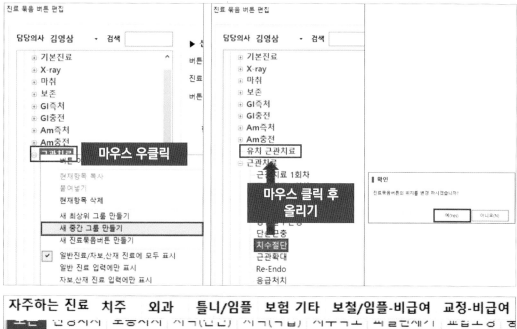

근관치료뿐만 아니라 [자주하는 진료] 탭에는 우리 병원에서 사용하는 재료에 맞게 즉처와 충전 처치버튼

도 수정하는 것이 좋고, 자주하지 않는 진료가 있다면 삭제하고, 자주하는 진료 위주로 처치버튼을 만들면 훨씬 간편하게 보험 청구를 할 수 있고, 우리 병원 원장님 진료에 맞춰서 처치버튼 묶음 설정도 변경하면 누락 등의 실수도 줄일 수 있을 것이다.

2. 보존치료

Simple Treatment

보통처치 [1치 1회당]

보통처치란?

본격적인 치료 전에 치아 및 경조직에 행하는 간단한 처치로 기본진찰료에 포함되지 않은 행위입니다.

산정기준

- 충치를 제거하지 않고 임시 충전하는 경우 산정한다.
- 치수절단 후 F.C change 시 산정한다.
- 치수강 개방만 하는 경우 산정한다.
- 발수를 완료하지 못하고 치수 일부만 제거하는 경우 산정한다.

진료기록부 예시

Date	Region	Treatment & Prognosis
2/1	6	C.C 어금니에 구멍이 났는데 오늘은 시간이 없어서 그 부분 메꾸기만 해주실 수 있나요? Dx. Dental caries (K02.1) Caviton filling(O) N) GI filling

🖱 청구화면 예시

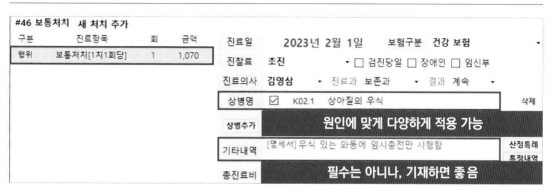

❶ [자주하는 진료] – [보존] – [보통처치]를 클릭한다.

❷ 상병명은 진료에 따라 치아우식, 치수염, 파절 등 다양하게 적용할 수 있다.

❸ 내역설명은 필수 기재 항목은 아니지만 기재해 주면 좋다.

🎧 질문있어요!

Q1
환자분이 음식을 먹다가 치아가 깨져서 오셨습니다. 깨진 부위를 제거하고 캐비톤으로 임시
충전했는데, 어떻게 청구해야 할까요?

치아가 깨진 부위를 제거한 경우 '치아파절편제거' 항목으로 청구 가능하고, 임시충전을
시행한 경우 간단한 경조직 처치로 '보통처치' 항목으로 청구 가능해요. 이 경우에는 각
각 청구 가능한 경우로 치아파절편제거 100%, 보통처치 100% 청구해 주면 돼요.

Q2
환자분이 지난주에 #47 인레이 탈락으로 내원했는데 캐비톤으로만 메우고 가셨어요. 보통
처치 산정 가능할까요?

네. 우식 제거 없이 캐비톤으로 임시충전만 한 경우에는 '보통처치' 항목으로 청구 가능
해요. 인레이 프렙 후 임시충전한 것은 인레이 진료에 포함되어 있기 때문에 별도로 산정
할 수 없어요. 충치 제거 후에 충치가 깊어 증상 확인을 위해 임시충전을 하는 경우 '치아진정처
치'로 산정 가능한데, 이때 치아 상태와 관련하여 진료기록부에 자세하게 기록되어 있는 게 중요
해요.

Q3

일요일에 넘어져서 앞니가 살짝 깨져서 내원하셨어요. 치근단 촬영 후 깨진 부위가 날카로워 그 부분만 다듬어 드렸는데 교합조정으로 청구 가능할까요?

아니요. 날카로운 부분을 다듬어 드린 경우는 간단한 경조직 처치에 해당하여 '보통처치' 항목으로 산정해야 해요. 상병명은 '파절 상병'으로 적용하고, [파절로 날카로운 부위 그라인딩 시행]이라고 내역설명을 기재해 주면 좋아요.

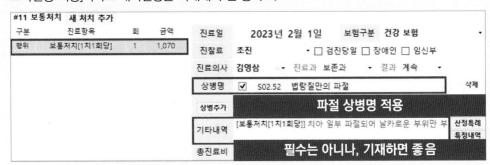

Q4

#44 신경치료 설명 후 환자분 동의하여 마취 후 발수하려고 하였으나 석회화가 심하여 신경관을 찾지 못했어요. 오늘 발수 청구는 못 하는 건가요?

네. 원장님이 힘들게 진료하셨지만 발수가 완료되지 못했기 때문에 '보통처치' 항목으로 산정해야 해요. 마취 시행을 했기 때문에 침윤마취나 전달마취 등 실제 시행한 '마취' 항목은 산정 가능해요.

Q5

만곡된 치근을 Bur를 이용하여 치아 분리 후 발치를 시행하는데 도저히 부러진 치근이 발거되지 않아 발치 중단 후 대학병원으로 의뢰서를 작성해서 진료를 마무리했어요. 환자분에게도 죄송하고, 원장님도 몇 시간이나 힘들게 고생하셨는데 청구를 해야 할지 모르겠어요. 어떻게 해야 할까요?

이런 경우 참 난감하죠. 발치를 완료하지 못했기 때문에 이 경우는 '보통처치' 항목으로 산정해야 해요. '발치'는 완료한 게 아니기 때문에 산정할 수 없지만, 이때 시행한 '마취'나 '방사선'은 산정 가능해요. 자주는 아니지만 발치를 못하는 경우도 있을 수 있기 때문에 항상 발치 동의서 설명 시 환자분에게 꼭 설명드리면 좋겠죠?

Q6
부러진 치아가 뿌리만 남아 있어 혀에 자꾸 상처가 난다고 해요. 아스피린 복용 중으로 오늘 발치를 할 수가 없는 환자분이라 응급으로 날카로운 치근 부분만 다듬어 드리고 약 처방 후 아스피린 복용 중단 7일 후로 발치 예약해드렸어요. 오늘은 보통처치만 산정하는 게 맞는 걸까요?

 네. 날카로운 부분만 다듬어 드렸기 때문에 '보통처치' 항목으로 산정하는 것이 맞아요. 이때, 발치 시에는 꼭 전신질환 복용 중인 약물에 대한 확인이 꼭 필요해요.

 Q7
1월 4일 소아 환자가 내원하여 #65 마취 후 치수절단을 했어요. 1월 7일 내원하여 소독하고 ZOE 충전을 했어요. 1월 7일에는 치아진정처치로 산정해야 하는 건가요?

아니요. 치수절단 후 F.C change 또는 ZOE 충전을 한 경우 '보통처치' 항목으로 해야 해요.

02

Dental Sedative Filling

치아진정처치 [1치당]

치아진정처치란?

우식치아의 우식을 제거한 후 영구충전을 할 수 없어 임시충전재를 사용하여 치아를 진정시키는 행위입니다.

 산정기준

- 충치를 제거한 후 영구충전을 할 수 없어 임시충전한 경우 산정한다.
- 충전 당일 실시한 경우 치아진정처치는 산정할 수 없다.
- 당일 비급여 치료 전 단계로 실시한 경우 산정할 수 없다.

📋 진료기록부 예시

Date	Region	Treatment & Prognosis
2/1	6 ┼	C.C 충치치료하려고요. Dx. Dental caries (K02.1) X-ray taking B/A lido 1@, caries removal, ZOE filling (O) <div align="right">N) GI filling</div>

🖱️ 청구화면 예시

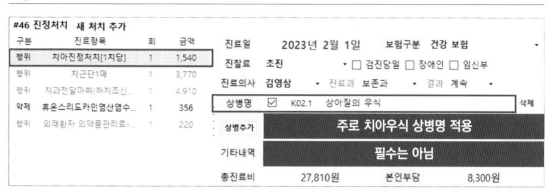

#46 진정처치 새 처치 추가			
구분	진료항목	회	금액
행위	치아진정처치[1치당]	1	1,540
행위	치근단1매	1	3,770
행위	치과전달마취(하치조신...	1	4,910
약제	휴온스리도카인염산염수...	1	356
행위	외래환자 의약품관리료-...	1	220

진료일　2023년 2월 1일　　보험구분　건강 보험
진찰료　초진　　□ 검진당일 □ 장애인 □ 임신부
진료의사　김영삼　ㆍ 진료과 보존과　ㆍ 결과 계속
상병명　☑ K02.1 상아질의 우식　삭제
상병추가　**주로 치아우식 상병명 적용**
기타내역　**필수는 아님**
총진료비　27,810원　　본인부담　8,300원

❶ [자주하는 진료]-[보존]-[진정처치]를 클릭한다.
❷ 진료 시 X-ray, 마취를 시행하였다면 산정 가능하다.
❸ 상병명은 주로 치아우식 상병으로 적용한다.

🎧 질문있어요!

Q1
인레이 주변으로 이차 우식이 있어 인레이를 제거했어요. 우식이 깊어 오늘은 ZOE 충전을 하고 다음번에 증상 확인 후 통증이 있으면 신경치료를, 아무런 증상이 없으면 인레이 인상 채득을 하기로 환자분께 설명을 하고 예약을 잡아드렸어요. 오늘 치아진정처치는 산정 가능 할까요?

네. 우식 제거 후 임시충전을 했기 때문에 '치아진정처치' 항목 산정 가능하고, 기존 인 레이를 제거하였으므로 '치관수복물 또는 보철물의 제거(복잡)' 항목도 산정해야 해요. 당일 비급여 전 단계인 경우 전처치는 산정할 수 없지만 위와 같은 경우는 증상 확인이 필요한 경우이므로 '치아진정처치' 산정이 가능해요.

Q2
일주일 전 우식 부위 제거 후 환자분 동의하에 비급여 레진으로 충전을 했어요. 레진 부위가 씹을 때도 가끔씩 욱신거리고 가만히 있어도 욱신거린다고 하여 환자분이 다시 내원했습니 다. 오늘 레진을 제거 후 ZOE 충전을 했어요. 비급여 레진으로 수납했던 부분인데 오늘 청구 가 가능할까요?

네. 증상이 있어 영구 충전을 할 수가 없기에 ZOE로 충전 후 증상 체크를 하는 경우가 종종 있죠. 이때에는 '치아진정처치' 항목으로 산정하고, 기존 레진 부위를 제거했기에 '치관수복물 또는 보철물의 제거(간단)' 항목도 산정 가능해요. 이때 중요한 것은 환자분에게 보 험진료 항목을 잘 설명하고 본인부담금도 꼭 받아야 해요.

Q3

5월 10일, 만 8세 어린이 #16 치아 충치 제거 후 치아진정처치를 하고, 17일에 광중합형 복합레진 충전을 했어요. 10일에 한 치아진정처치는 청구 후 수납을 했는데 어떻게 해야 할까요?

만 8세의 경우 치수병변이 없는 치아우식을 제거하고 광중합형 복합레진으로 충전하였다면 보험으로 산정 가능한데요, 산정기준을 살펴보면 광중합형 복합레진 충전 이전에(1개월 이내) 동일 치아에 시행한 충전을 목적으로 하는 행위(보통처치, 치아진정처치, 치수복조, 즉일충전처치, 와동형성)는 별도 산정할 수 없어요. 그렇기 때문에 10일에 치아진정처치 청구한 부분을 '기본진료'로 변경해야 하고, 이런 경우는 본인부담금도 달라지기 때문에 꼭 주의해야 해요. 본인부담금은 민감한 부분이기 때문에 과수납을 했다면 꼭 환자분에게 설명해야 하고 정정해야 하겠죠? 환자분의 오늘 진료뿐만이 아니라 다음 내원 시 진료에 대해서도 생각하는 게 필요해요.

Q4

충치 치료 시 저희 치과는 항상 러버댐을 장착합니다. 러버댐을 걸고 우식 제거 후 신경에 가까워 ZOE 임시충전을 시행했어요. 이런 경우 러버댐 청구는 불가능한가요?

네. 러버댐장착 후 당일에 영구충전을 할 수 없어 치아진정처치를 시행했지만 '러버댐장착료'는 산정할 수 없어요.

러버댐 장착 [1악당]

- 충전, 근관치료 과정 중 발수, 근관확대, 근관세척, 근관장측정검사, 근관충전, 당일발수근충 등의 행위 시 산정 가능합니다.
- 보통처치, 치아진정처치, 치수복조, 치면열구전색, 광중합형 복합레진 충전술, 응급근관처치 시 산정 불가합니다.

Q5

#16 치아에 충치와 치경부 마모가 확인되어 치료를 했어요. 교합면에는 충치 제거 후 충치가 깊어 치아진정처치를 하고 협측에는 치경부 마모로 오늘 GI로 충전을 했어요. 충전과 치아진정처치 두 가지 모두 산정 가능한가요?

교합면과 협측 부위가 다르지만 이 치아는 모두 #16 동일 치아인 거죠. 한 치아에 두 가지 항목은 산정이 안 돼요. 즉일충전처치는 1치당 산정하며, 당일 우식 제거 후 충전까지 한 경우 산정 가능하고, #16 치아는 즉일충전처치만 산정해야 해요.

Q6

전체 치아 스케일링 후 #27 교합면 우식이 확인되어 우식 제거 후 ZOE 충전까지 했어요. 이 날 스케일링과 #27 치아진정처치 동시 청구 가능할까요?

네. 전체 치식 선택 후 '치석제거' 항목 산정, #27 '치아진정처치' 항목 모두 산정 가능한데요. 각 행위에 맞는 상병명을 적용해야 해요. 치석제거 상병명은 '치주' 관련 상병, 치아진정처치 치식은 '치아우식' 관련 상병으로 나누어 산정하면 돼요.

Q7

3월 2일 #16 우식이 깊어 우식 제거 후 ZOE 충전을 했어요. 7일에 내원하여 ZOE를 제거 후 GI 충전을 하려고 했는데, 환자분이 이가 시리다고 하여 다시 ZOE 충전을 하고 좀 더 지켜보기로 했어요. 이 경우 치아진정처치는 첫날인 3월 2일에만 청구해야 할까요?

치아진정처치는 1치당 1회라는 산정기준이 있는 것은 아니에요. 2일, 7일 모두 ZOE 충전을 했기 때문에 각각 내원일에 '치아진정처치' 항목으로 산정이 가능해요. 하지만 ZOE 제거는 '치관수복물 또는 보철물의 제거'로 산정할 수가 없고, 심사조정 가능성이 높기 때문에 재심사조정청구를 해야 하는 경우를 대비하여 진료에 대한 기록을 자세하게 해주는 게 중요해요.

03

Pulp Capping

치수복조 [1치당]

치수복조란?

우식을 제거하는 도중 치수가 노출될 우려가 있거나 미세하게 노출되었을 때 특정 약제(Dycal 등)로 노출된 부분의 염증을 억제하고 2차 상아질의 형성을 목적으로 하는 술식입니다.

🔍 산정기준

- 충치를 제거한 후 당일 충전이 어려워 **특정약제(Dycal 등)**로 베이스 후 임시충전한 경우 산정한다.
- **충전 당일** 실시한 경우 치수복조는 **산정할 수 없다.**
- **당일 비급여 치료 전** 단계로 실시한 경우 **산정할 수 없다.**

📋 진료기록부 예시

Date	Region	Treatment & Prognosis
2/1	─6─┼─	C.C 충치치료하려고요. Dx. Caries with pulp exposure (K02.5) X-ray taking B/A lido 1@, caries removal, Dycal base, ZOE filling <div align="right">N) GI filling</div>

청구화면 예시

#46 치수복조	새 처치 추가		
구분	진료항목	회	금액
행위	치수복조[1치당]	1	2,300
행위	치근단1매	1	3,770
행위	치과전달마취(하치조신…	1	4,910
약제	휴온스리도카인염산염수…	1	356
행위	외래환자 의약품관리료-…	1	220

진료일	2023년 2월 1일	보험구분	건강 보험
진찰료	초진	□ 검진당일 □ 장애인	
진료의사	김영삼	진료과 보존과	결과 계속
상병명 ☑	K02.5 치수노출이 있는 우식		삭제
상병추가	**K02.5 또는 K04.00이 적절함**		
기타내역	**필수는 아님**		
총진료비	28,690원	본인부담	8,600원

❶ [자주하는 진료] – [보존] – [치수복조]를 클릭한다.

❷ X-ray, 마취를 시행하였다면 산정 가능하다.

❸ 상병명은 원인에 맞게 적용 가능하나, 주로 K02.5 치수노출이 있는 우식, K04.00 가역적치수염 상병
명이 적절하다.

질문있어요!

Q1

**만 5세인 소아 #74 충치 제거 후 다이칼베이스(Dycal base) 후 그 위에 레진으로 충전을 했
어요. 레진은 비급여인데 다이칼베이스 한 건 치수복조로 산정 가능한가요?**

치수복조 후 당일 충전까지 한 경우 치수복조는 충전 행위에 포함된 행위이기 때문에
별도로 산정이 불가능하고, 비급여인 레진으로 충전을 하였기 때문에 이때 보험으로 청
구할 수 있는 항목은 없어요.

Q2

**저희 치과는 치수복조 시 다이칼베이스 대신 MTA 사용해요. MTA는 비급여 산정 가능한 재
료라고 들었어요. 비용은 얼마나 받아야 할까요?**

치수복조 시 다이칼베이스 재료대는 별도로 산정할 수 없어요. '치수복조' 행위 안에 재
료대가 포함되어 있다고 볼 수 있어요. 또한, MTA는 근관충전재인 경우에만 비급여로
재료대 산정이 가능하죠. 혼동하지 않도록 주의해야 해요.

Q3

치수복조 후 당일 GI 충전까지 했어요. 치수복조와 GI 충전 각각 청구하는 건가요?

우식을 제거하고 당일에 '치수복조'와 'GI 충전'을 한 경우 당일 우식 제거 후 충전까지
했다면! 기억나시나요? 이때에는 '즉일충전처치' 항목으로 산정해야 해요. 치수복조는
충전 행위에 포함되어 있는 행위이므로 별도로 산정할 수 없다는 것을 다시 한번 기억해두세요.

Q4
기존 인레이 부분에 2차 우식으로 마취를 하고 우식 제거 후 치수복조를 시행했어요. 이때 청구는 어떻게 해야 할까요?

네. 우식으로 기존 인레이를 제거했기에 '치관수복물 또는 보철물의 제거(복잡)' 항목, '마취' 항목, '치수복조' 항목 모두 다 산정할 수 있어요.

Q5
한 치아에 치수복조는 몇 번 청구 가능한가요?

치수복조의 산정기준은 1치아당 1회 산정 가능하기 때문에 한 치아에 몇 번이나 청구할 수 없어요.

Q6
비급여 레진 충전할 때 치수가 살짝 노출되거나 근접한 경우 Theracal을 깔고 레진을 할 때가 있어요. 이때 다이칼을 사용하지 않고 Theracal한 경우 치수복조이니 청구 가능한 거죠?

아니요. 비급여 진료인 레진 치료를 한 경우 치수복조를 시행했어도 비급여 진료 전에 시행한 치수복조는 산정할 수 없답니다.

Q7
환자분께서 2주 전 레진한 곳이 갑자기 시리고 아프다며 내원하셔서 레진 제거 후 치수 일부가 노출된 곳에 다이칼을 베이스 한 후 임시충전을 했어요. 과민성 상아질이라고 차트에 기록되어 있는데 과민성 상아질 상병으로도 청구가 가능한가요?

네. 과민성 상아질 상병보다는 우식이 있어서 제거하는 과정에서 치수가 일부 노출되어 치수복조를 했기 때문에 이 경우에는 'K02.5 치수노출이 있는 우식' 상병 적용이 더 좋겠지요.

Q8
치수복조제는 특정약제인 다이칼을 사용한 경우 산정 가능하다고 하는데 다이칼인 아닌 울트라 블랜드를 사용하면 청구가 불가능한가요?

아니요. 치수복조를 한 경우 재료와 상관없이 산정 가능하답니다. 재료명보다는 어떤 진료 술식이었는지가 중요해요.

CHAPTER

04 · Filling

충전 [1치당]

충전이란?
전 치료에 보통처치, 치아진정처치, 치수복조, 치수절단, 근관치료 등을 완료하고 충전을 실시한 경우 와동형성료, 충전료, 재료대를 산정합니다.

🔍 산정기준

가. 아말감 충전(Amalgam Filling)

나. 복합레진 충전(Composite Resin Filling, 글래스아이오노머시멘트(II) 충전 포함)

- 당일에 영구충전을 할 수 없어 임시충전을 하고, 다른 날 충전을 한 경우 산정 가능하다.
- 치과임플란트 보철물의 교합면 나사 삽입구 재충전을 하는 경우 산정 가능하다.
- 동일 치아에 근관치료 후 충전까지 당일 완료한 경우 근관치료와 충전 각각 100% 산정 가능하다.

충전처치한 치아 재충전 시 산정기준

아말감, 글래스아이오노머 충전 시
- 1개월 이내: 재진(100%) + 와동형성료(50%) + 충전료(50%) + 재료대(100%)
- 1개월 이후(처치 내역에 따라): 초진(100%) + 와동형성료(100%) + 충전료(100%) + 재료대(100%)

복합레진 충전 시
- 3개월 이내: 진찰료(100%) + 와동형성료(50%) + 충전료(50%) + 재료대(100%)
- 3개월 이후(처치 내역에 따라): 초진(100%) + 와동형성료(100%) + 충전료(100%) + 재료대(100%)

PART 2.

보존치료

📋 진료기록부 예시

Date	Region	Treatment & Prognosis
2/1	6	C.C 충치치료하려고요. Dx. Caries with pulp exposure (K02.5) X-ray taking B/A lido 1@, caries removal, Dycal base, ZOE filling
2/8	6	C.C 치료받은 날만 조금 시리더니 다음 날부터는 괜찮았어요. B/A lido 1@, ZOE removal, Ketac-Molar aplicap filling (DO) Polishing

🖱 청구화면 예시

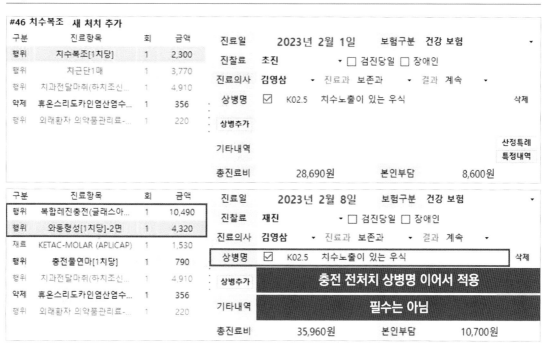

❶ [자주하는 진료] – [GI충전] – [2면]을 클릭한다.

❷ 진료기록부에 충전 면수를 꼭 기재해야 한다.

❸ 사용한 재료는 청구 전에 재료구입신고가 되어 있어야 한다.

❹ 상병명은 충전 전처치 상병명을 이어서 적용한다.

질문있어요!

Q1

어금니 사이 충치가 있어 충치 제거 후 신경치료 하기 전에 인접면을 GI로 충전했어요. 이런 경우 충전과 발수를 동시에 청구 가능할까요?

발수를 완료했다면 '발수'는 청구 가능하지만, 인접면 GI 충전은 실제 충전을 완료한 것이 아니고 치아 외벽만 세워 놓은 것이기 때문에 충전은 청구할 수 없어요. 신경치료 완료 후 core 시 면수를 합산하여 청구하면 돼요.

Q2

2월 10일 케탁몰라로 충전하고 그 부위가 일부 떨어져서 4일 만에 케탁몰라 일부 제거 후 다시 케탁몰라로 충전했어요. 14일 청구는 어떻게 해야 할까요?

충전 완료 후 1개월 이내 동일 부위 재충전이므로 충전 100%가 아닌 [와동형성료(50%) + 충전료(50%) + 재료대(100%)]로 산정해야 해요. 케탁몰라 일부가 남아 제거 시 '치관수복물 또는 보철물의 제거(간단)' 항목 산정, '충전물연마' 항목 또한 산정이 가능하지요.

Date	Region	Treatment & Prognosis
2/14	6	C.C **4일 전에 때운 부분이 떨어졌는지** 까끌거려요. Dx. Dental caries (K02.1) GI 일부 탈락 GI removal, Ketac-Molar aplicap filling (DO) Polishing

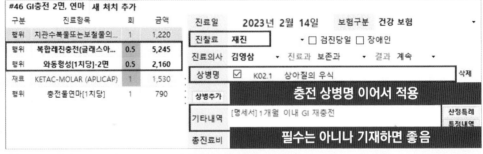

❶ [자주하는 진료] – [제거] – [충전제제거]를 클릭한다.
❷ [자주하는 진료] – [GI충전] – [2면]을 선택하고, 알림창 [동일치아 재충전 행위료 50% 산정]에서 [예(Yes)]를 클릭한다.
❸ 복합레진충전–2면, 와동형성–2면의 횟수가 1에서 0.5로 변경된다.
❹ 내역설명은 필수는 아니나, '1개월 이내 GI 재충전'을 기재해 주면 좋다.

Q3

같은 치아 발수와 치경부 마모로 GI 청구 가능한가요?

네. 각각 청구 가능해요. 이때 발수는 발수 관련 치수 상병으로 충전은 치경부 마모 관련 상병으로 적용해 주면 돼요.

Q4

지대치 축조용 충전한 것도 2면 청구 가능한가요? 교합면 충전이 1면만 가능하다고 들었어요.

네. 당연히 충전한 면수대로 청구해야 해요. 차트에도 면수 기록이 되어 있어야 하니 꼭 기재해 주세요.

Q5

오늘 처음 내원한 만 5세 아이 유치에 우식 제거하고 미라클 충전 후 SS-cr를 제작하여 부착했어요. SS-cr은 비급여인데 미라클 충전한 것은 즉처가 아닌 충전인가요?

당일 우식 제거 후 충전까지 완료했기 때문에 '즉일충전처치'로 청구해야 해요. 지대치 축조를 했다고 해서 충전으로 청구하는 게 아니라, 전처치가 없었기 때문에 즉일충전처치로 산정이 가능해요. 이때 '충전물연마'는 청구하면 안 되겠죠? 크라운을 하려면 교합면을 삭제해야 해서 '충전물연마'는 필요하지 않기 때문이에요.

Q6

당일 인레이 제거 후 케탁충전(DO) 2면 충전 후 크라운 프렙을 했어요. 보철 진행하는 치아인데 즉처인지 충전인지 헷갈려요.

당일 우식을 제거하고 바로 충전했으니 '즉일충전처치' 항목으로 산정해야 해요. '충전물연마'는 산정할 수 없답니다.

Q7

임플란트 홀 GI 충전 시 충전 1면 청구 버튼을 클릭하면 레진충전 1면, 와동형성 1면, GI 재료대 이렇게 3개의 항목이 뜨는데 와동형성도 비용을 받을 수 있는 거 맞아요?

임플란트 보철 후 임플란트 홀 충전 시 '충전'으로 산정 가능합니다. 충전 항목에 구성이 '충전료 + 와동형성료 + 재료대'이기 때문에 당연히 '와동형성료' 청구가 가능하죠. 임플란트 홀 충전은 충전 1면으로 기억하면 좋아요. 이 경우 우식 상병이 아닌 'T85.6 치과보철물의 파절 및 상실'로 수정하는 것이 좋아요.

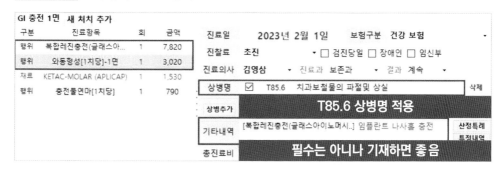

초진에 충전 1면 클릭 시 [충전처치 변경 확인] 알림창이 뜨는데, 이때 꼭 "아니오(N)" 버튼을 클릭해야 하니 주의해 주세요.

05

Treatment for One Visit Filling

즉일충전처치 [1치당]

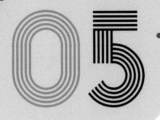

즉일충전처치란?

충치치료에 있어서 하루에 와동형성부터 기타 경조직 처치와 충전까지 완료하는 경우에 산정합니다.

산정기준

- 당일에 우식 제거 후 충전까지 완료한 경우 산정한다.
- 동일 치아에 두 가지 재료로 치경부와 교합면 충전 시 즉일충전처치는 **1회만** 산정 가능하다.

즉일충전처치한 치아 재충전 시 산정기준

아말감, 글래스아이오노머 즉일충전처치 시
- 1개월 이내: 재진(100%) + 와동형성료(50%) + 충전료(50%) + 재료대(100%)
- 1개월 이후: 초진(100%) + 즉일충전처치료(100%) + 충전료(100%) + 재료대(100%)

복합레진 즉일충전처치 시
- 3개월 이내: 진찰료(100%) + 와동형성료(50%) + 충전료(50%) + 재료대(100%)
- 3개월 이후: 초진(100%) + 즉일충전처치료(100%) + 충전료(100%) + 재료대(100%)

진료기록부 예시

Date	Region	Treatment & Prognosis
2/1	⊥ 6	C.C 충치치료하려고요. Dx. Dental caries (K02.1) X-ray taking B/A lido 1@, caries removal, Ketac-Molar aplicap (O) filling, polishing

🖱 청구화면 예시

구분	진료항목	회	금액
행위	즉일충전처치[1치당]	1	9,560
행위	복합레진충전(글래스아…	1	7,820
재료	KETAC-MOLAR (APLICAP)	1	1,530
행위	충전물연마[1치당]	1	790
행위	치근단1매	1	3,770
행위	치과전달마취(후상치조…	1	3,840
약제	휴온스리도카인염산염수…	1	356
행위	외래환자 의약품관리료-	1	220

#26 GI 즉일충전 1면, 연마 새 처치 추가

진료일	2023년 2월 1일	보험구분 건강 보험
진찰료	초진 ▾ □ 검진당일 □ 장애인 □ 임신부	
진료의사	김영삼 ▾ 진료과 보존과 ▾ 결과 계속 ▾	
상병명	☑ K02.1 상아질의 우식	삭제
상병추가	**치아우식, 치아마모 관련 상병명 적용**	
기타내역	**필수는 아님**	
총진료비	47,240원 본인부담 14,100원	

❶ [자주하는 진료] – [GI즉처] – [1면]을 클릭한다.

❷ 상병명은 치아우식이나 치아마모 관련 상병으로 적용한다.

❸ 사용한 재료는 청구 전에 재료구입신고가 되어 있어야 한다.

💬 질문있어요!

Q1
영구치에 충치 부위가 넓어서 크라운 진행할 예정인데 신경치료를 하지 않고 미라클로 코어(지대치 축조)를 했어요. 미라클은 즉일충전처치가 안된다고 하던데 충전으로 청구해야 하나요?

영구치에 미라클 충전은 지대치 축조용으로만 가능하고, 지대치에 전처치가 없기 때문에 즉일충전처치로 청구 가능해요. 전처치가 없었다는 내역설명을 꼭 해주는 게 좋은데, 이렇게 청구하더라도 심사 조정되는 경우가 있어요. 심사 조정 시에는 재심사조정청구를 하면 인정받을 수 있어요.

Q2
이랑 잇몸 사이 까만 게 안 지워진다는 주소로 환자분이 내원하셨어요. 치근단 사진 촬영을 하고 검진을 했더니 치은 하방으로 충치가 진행되어 마취하고 치은절제 후 GI 충전을 했어요. GI 즉처 시 치은절제술 동시 청구 가능한가요?

네, 가능해요. 당일 우식 제거 후 충전을 했으니 '즉일충전처치' 항목과 치관확장술 '가. 치은절제술' 각각 100% 청구 가능해요. 치관확장술 '가. 치은절제술'은 1치당 산정하며, 내역설명은 '치은연하 우식 치료 위해 치은절제술 시행함'이라고 적어주면 돼요.

#13 치관확장·치은절제, 마..	#13 GI 즉일충전 1면, 연마 새 처치 추가

구분	진료항목	회	금액
행위	치관확장술[1치당](치은...	1	7,450
행위	치과침윤마취(1/3악당)	1	1,490
약제	휴온스리도카인염산염수...	1	356
행위	외래환자 의약품관리료-..	1	220

진료일	2023년 2월 1일	보험구분	건강 보험
진찰료	초진 ▾ □ 검진당일 □ 장애인 □ 임신부		
진료의사	김영삼 ▾ 진료과 치주과 ▾ 결과 계속 ▾		
상병명	☑ K02.2 시멘트질의 우식		삭제
상병추가			
기타내역	[치관확장술[1치당](치은절제..] 치은연하로 우식이 깊어 치관확	산정특례 특정내역	
총진료비	48,770원	본인부담	14,600원

#13 치관확장·치은절제, 마..	#13 GI 즉일충전 1면

구분	진료항목	회	금액
행위	즉일충전처치[1치당]	1	9,560
행위	복합레진충전(글래스아...	1	7,820
재료	KETAC-MOLAR (APLICAP)	1	1,530
행위	충전물연마[1치당]	1	790

치은연하 우식 상병명 적용

치관확장술에는 내역설명을 기재하는 것이 좋음

진료의사	김영삼 ▾ 진료과 보존과 ▾ 결과 계속 ▾		
상병명	□ K02.2 시멘트질의 우식		삭제
상병추가			
기타내역		산정특례 특정내역	
총진료비	48,770원	본인부담	14,600원

❶ [치주]-[기타]-[치관확장술-치은절제술]을 클릭한다.

❷ [자주하는 진료]-[GI즉처]-[1면]을 클릭한다.

❸ 상병명은 치은연하 우식이기 때문에 K02.2 시멘트질의 우식으로 적용하는 것이 적절하다.

❹ 치관확장술(가. 치은절제술) 시행 시에는 내역설명을 기재하는 것이 좋다.

❺ 즉일충천처치가 '1회'만 들어갔는지 꼭 확인한다.

Q3

#26 치아에 교합면은 충치로 우식 제거 후 아말감으로 충전하고 치경부에 시린 증상이 있어 GI로 충전했는데 즉일충전처치 횟수 초과로 삭감됐어요. 이런 경우 어떻게 해야 될까요?

'즉일충전처치료'는 산정기준이 치아당 1회만 산정 가능해요. 재료가 다른 경우에도 즉일충전처치는 1회로만 산정해야 하므로 두 번째 처치버튼에는 즉일충전처치가 들어가지 않도록 해야 해요.

Date	Region	Treatment & Prognosis
2/1	─┼─ 6	C.C 충치치료하려고요. 잇몸도 패였는지 시려요. Dx. 상아질의 우식(K02.1), 치아의 기타 명시된 마모(K03.18) 치근단촬영 후상치조신경전달마취 1앰플, 우식 제거 아말감 충전(O) GS-80 P400+M360, 글래스아이오노머 충전(C) Ketac-Molar aplicap, Polishing

PART 2.

보존치료

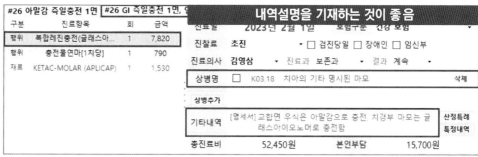

이미 입력된 행위가 있습니다.

#26 치아에 오늘 이미 즉일충전처치[1치당]을(를) 시행한 기록이 있습니다.

그래도 입력 하시겠습니까?

예(Yes)   아니오(N)

❶ [자주하는 진료] – [Am즉처] – [1면]을 클릭한다.

❷ [GI즉처] – [1면]을 선택하고, 알림창에서 [예(Yes)]를 클릭한다.

❸ 각 행위에 맞게 상병명은 각각 적용한다.

❹ 내역설명을 기재하는 것이 좋다.

Q4

7살 아이 치경부가 패여 GI로 충전을 했어요. 마모 상병인가요, 우식 상병인가요? 성인처럼 청구하면 되나요?

치경부 마모로 GI 충전을 했으면 마모 상병, 우식으로 충전을 했다면 우식 상병으로 적용해야 해요. 실제 왜 충전을 했는지에 따라 상병명도 그에 맞게 청구하면 돼요.

06

Light Curint Composite Resin Restoration

광중합형 복합레진 충전
[1치당]

광중합형 복합레진 충전이란?

만 5세 이상, 만 12세 이하 아동의 치수병변이 없는 충치가 있어 충치 제거 후 광중합형 복합레진으로 충전한 경우 산정합니다.

🔍 산정기준

가. 1면

나. 2면

다. 3면 이상

- 만 5세-12세 이하 아동으로 치수병변이 없는 치아우식증에 이환된 영구치 치료에 한하여 적용된다.
- 러버댐장착, 접착제 도포, 즉일충전처치, 충전, 교합조정, 충전물연마 등의 행위가 포함되어 별도 산정할 수 없다.
- 동일 치아에 치면열구전색술과 동시 시행 시 치면열구전색술은 50%만 산정 가능하다.
- 1일 최대 4치까지 산정 가능하다.
- 동일 치아 재시행 기준은 6개월이다.

📋 진료기록부 예시

Date	Region	Treatment & Prognosis
2/1	6	C.C 충치치료하려고요. Dx. Dental caries (K02.1) X-ray taking I/A lido 1@, Rubber dam, caries removal 광중합형 복합레진 충전(O), polishing

청구화면 예시

#46 광중합형 복합레진 새 처치 추가

구분	진료항목	회	금액
행위	충전 [1치당]-광중합형 ...	1	76,390
행위	치근단1매	1	3,770
행위	치과침윤마취(1/3악당)	1	1,490
약제	휴온스리도카인염산염수...	1	356
행위	외래환자 의약품관리료-...	1	220

진료일 2023년 2월 1일 　보험구분 건강 보험

진찰료 초진 　▼　☐ 검진당일 ☐ 장애인

진료의사 김영삼 　▼　진료과 보존과 　▼　결과 계속 　▼

상병명 ☑ K02.1 상아질의 우식 　　　삭제

상병추가 **치아우식 상병명만 적용(치수병변 X)**

기타내역 **필수는 아님**

총진료비 109,960원 　　본인부담 32,900원

46번 치아　　　　삭제

순협면 (B)

근심면 (M) 　교합면 (O)　 원심면 (D)

설면 **필수**

Class 1급 ▼ 　면수 1면 ▼

❶ [자주하는 진료] – [급여레진] – [1면]을 클릭한다.

❷ [광중합형 복합레진 충전면 선택] 알림창에서 반드시 와동급수와 충전면수를 선택한다.

❸ 상병명은 우식 상병만 적용 가능하고, 치수병변이 없어야 한다.

❹ X-ray, 마취 시행 시 청구 가능하며, 충전물연마와 러버댐장착은 청구할 수 없다.

광중합형 복합레진 충전 치아 재충전 시 산정기준

• 6개월 이내: 진찰료(100%) + 광중합형 복합레진 충전(50%)

질문있어요!

Q1
만 8세 아이가 협면 우식으로 내원하여 광중합형 복합레진 충전을 하고 교합면은 예방 차원으로 홈메우기를 했어요. 청구는 각각 가능할까요?

네. 광중합형 복합레진 충전술과 치면열구전색술 모두 청구 가능해요. 하지만 동일 치아에 광중합형 복합레진 충전과 치면열구전색술을 동시 시행한 경우 치면열구전색술은 50%만 산정 가능하기 때문에 횟수를 0.5로 수정해야 해요.

Date	Region	Treatment & Prognosis
2/1	6	C.C 충치치료하려고요. Dx. 상아질우식(K02.1) X-ray taking I/A lido 1@, Rubber dam, caries removal 광중합복합레진충전(B), polishing Dx. 기타 명시된 예방적 조치(Z29.8) 실란트(O)

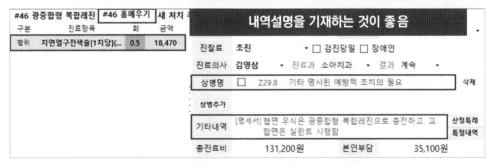

❶ [자주하는 진료]-[급여레진]-[1면]을 클릭한다.
❷ [자주하는 진료]-[기타]-[홈메우기]를 클릭한다.
❸ 치면열구전색술 횟수를 0.5로 수정한다.
❹ 상병명은 반드시 우식과 예방 상병으로 구분해서 적용해야 한다.
❺ 내역설명을 기재하는 것이 좋다.

Q 2
복합레진과 광중합형 복합레진의 차이가 무엇인가요?

복합레진은 자가중합형 복합레진을 말하며 보험 적용 가능한 재료로는 클리어필이 있어요. 연령과 상관없이 보험 적용이 가능하며, 광중합형 복합레진 충전은 만 5–12세 이하에게만 우식 충전 시 보험 적용 가능하고, 그 외 연령에게는 비급여 항목이에요.

Q 3
어제 만 11세 어린이가 광중합형 복합레진 충전을 하고 갔는데 오늘 충전 부위가 까끌거린다고 내원했어요. 확인 후 Bur로 거친 부위를 다듬어 줬어요. 오늘은 청구할 수 있는 항목이 있을까요?

'광중합형 복합레진 충전' 항목에는 충전물연마도 포함되어 있어 별도로 청구할 수 없어요. 1개월까지는 청구할 수 없기 때문에 주의해야 하고, 오늘은 기본진료로 산정해야 돼요. 내역설명에 '충전 부위 연마함'이라고 같이 적어주는 게 좋아요.

Q 4
만 9세 어린이 충치가 있어 우식 제거하고 광중합형 복합레진 충전하려 했으나 신경치료까지 들어갔어요. 신경치료 후 보철은 아직 어려서 안 하고 광중합형 복합레진 충전으로 치료 마무리하기로 했어요. 보험으로 청구하면 되나요?

광중합형 복합레진 충전은 산정기준 원칙이 치수병변이 없는 치아우식증에 이환된 영구치에만 가능하기 때문에 치수병변이 있어서 신경치료 한 치아에는 보험으로 적용이 안 돼요.

Q 5
아이가 학원을 다녀 치과에 여러 번 올 수 없다고 보호자께서 오늘 6개 치료해달라고 하셨어요. 그래서 건강보험으로 광중합형 복합레진 충전 후 내역설명에 '환자 보호자 다수 처치 원하심'이라고 기록하여 청구했는데 4개까지 인정되고 2개는 전부 삭감되었어요. 어떡하죠?

구강건강 상태 및 장애 등의 사유로 전신마취 또는 진정요법을 이용한 행동조절 시행 후 1일 최대 인정 치아 수를 초과하여 충전을 실시할 경우, 요양급여비용 청구 시 특정내역에 의사소견서를 첨부하여 제출한다면 모두 보험적용이 가능한데요. 지금 상황은 환자 사정상으로 이에 해당하지 않기 때문에 재심사조정청구를 하더라도 인정받을 수 없어요. 이런 경우에는 두 번에 나눠서 치료를 하는 게 필요했겠죠?

Q6

최근에 저희 치과에서 광중합기를 1대 더 구매했어요. 장비 신고가 필수라고 하는데 방법을 모르겠어요. 도와주세요.

광중합형 복합레진 충전 시 광중합기는 장비 신고 필수 항목이죠. 장비 신고는 '보건의 료자원통합신고포털'에서 현황신고 · 변경–장비현황–일반장비 현황신고에서 신규 등록 하면 됩니다. 우리 치과에 보유하고 있는 장비가 맞게 신고되어 있는지 확인해보세요.

07.

Restoration Polishing

충전물연마 [1치당]

충전물연마란?

충전 후 충전물의 바깥면을 부드럽게 다듬는 술식입니다.

 산정기준

- 충전 후 충전 부위를 부드럽게 다듬는 경우 산정한다.
- 근관치료 후 지대치 축조 시 크라운 장착 예정인 경우에는 충전물연마를 별도 산정할 수 없다.
- 광중합형 복합레진 충전 후에는 충전물연마를 별도 산정할 수 없고, 충전 후 1개월 이내에도 산정 불가하다.

 진료기록부 예시

Date	Region	Treatment & Prognosis
2/1	─┼─ 6	C.C 다른 치과에서 충치치료 후 때웠는데, 때운 부위에 혀를 대면 거친 느낌이 있어요. Dx. Dental caries (K02.1) GI 충전된 상태 Polishing

청구화면 예시

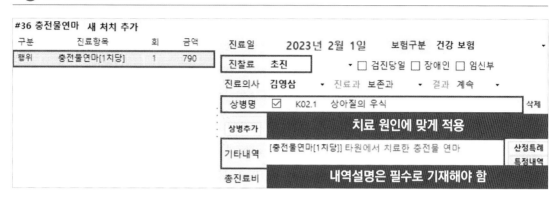

❶ [자주하는 진료] – [보존] – [충전물연마]를 클릭한다.
❷ 상병명은 치료 원인에 맞는 상병명을 적용한다.
❸ 타 치과에서 충전한 충전물 연마 시에는 반드시 내역설명을 기재하여야 한다.

질문있어요!

Q1
치경부 마모된 부위에 GI 충전을 하고 치아 동요가 있어 교합지를 이용해 교합면 교합조정도 시행했어요. 동일 치아지만 처치 부위가 다르기 때문에 각각 청구 가능하다고 보고 내역설명까지 추가해서 청구를 했는데 조정이 되었어요. 재심사조정청구 가능할까요?

동일 치아인 경우 충전과 교합조정술은 동시 산정이 불가능한데, 지금은 교합면 충전이 아닌 치경부 충전으로 처치 부위가 다르고, 상병명도 다르기 때문에 사례별로 인정하는 경우에 해당돼요. 재심사조정청구를 통해서 인정받을 수 있어요.

Q2
2일 내원하여 GI 즉처 후 당일에 폴리싱까지 해서 즉처와 충전물연마 청구를 했어요. 25일 내원하여 충전물 연마한 부위가 까끌거린다고 해서 다시 폴리싱을 했어요. 당월에 충전물연마 2번 모두 청구 가능할까요?

네. 충전물연마에 대한 재산정 기간은 정해지지 않았기 때문에 2일과 25일 모두 충전물 연마 청구하면 되는데, 심사조정 가능성이 높기 때문에 재심사조정청구 대비를 위해 진료기록을 자세히 기재해 주는 것이 필요해요.

Q3

하악 전치부 신경치료 후 코어까지만 하고 크라운은 제작하지 않은 채로 치료를 마무리하기로 했어요. 이때 충전물연마 산정 가능한가요?

전치부 같은 경우나 치아 예후가 좋지 않은 경우 신경치료 후 충전까지만 완료하고 사용하는 경우가 종종 있어요. 비가역적 치수염 상병으로 충전 청구 시 다음번에는 비급여 진료인 보철 제작 과정이 진행되는 것이 일반적이죠. 하지만 보철 계획이 없는 경우는 충전물연마까지 치료 마무리로 보기 때문에 '충전물연마' 항목 산정이 가능해요. '내역설명-보철 계획 없음' 꼭 기록해서 청구해야 조정이 되지 않고, 내역이 누락되어 삭감되는 경우에는 재심사조정 청구를 통해 인정받을 수 있어요.

#46 GI충전 4면 새 처치 추가			
구분	진료항목	회	금액
행위	복합레진충전(글래스아...	1	16,340
행위	와동형성[1치당]-4면이상	1	6,770
재료	KETAC-MOLAR (APLICAP)	1	1,530
행위	충전물연마[1치당]	1	790

진료일 2023년 2월 1일　보험구분 건강 보험

진찰료 재진　□ 검진당일 □ 장애인 □ 임신부

진료의사 김영삼　진료과 보존과　결과 계속

상병명 ☑ K04.01 비가역적 치수염　삭제

상병추가

기타내역 [충전물연마[1치당]] 보철 치료 계획없어서 충전물 연마 시행함　산정특례 특정내역

근관치료 시 충전 후 보철 계획 없는 경우에 내역설명은 필수로 기재해야 함

❶ 내역설명에 반드시 보철 계획이 없다는 내용을 기재하여야 한다.

Q4

타 치과에서 충전한 부위를 연마하는 경우 상병명은 어떤 걸로 해야 할까요? 우식인지 마모인지 어떻게 알 수 있죠?

진료기록부를 바탕으로 충전부위에 따라 적절하게 우식 상병이나 마모 상병으로 상황에 맞게 선택하면 됩니다. 중요한 것은 내역설명이겠죠. 내역설명이 없으면 진찰료가 재진으로 조정되니 '타 치과에서 충전 후 내원하여 충전물연마 시행함'이라는 내역설명을 반드시 기재해야 해요.

Q5

실란트 시 치면열구전색제가 열구에 과하게 도포되어 높은 경우 폴리싱이 필요한데 이런 경우 충전물연마도 청구 가능할까요?

치면열구전색술은 예방 차원으로 하는 경우로 소와열구 깊은 부분에 우식이 생기지 않도록 도포하는 것이 중요합니다. 이때 '충전물연마'는 산정할 수 없어요.

PART 2.

보존치료

Occlusal Adjustment

교합조정술 [1치당]

교합조정술이란?
치아의 교합면을 교합지를 이용하여 외상성 교합 및 조기접촉점을 제거하는 술식입니다.

🔍 산정기준

- 교합지에 의한 교합조정 시 산정 가능하며, 진료기록부에 교합지 사용을 꼭 기재하여야 한다.
- 1일 4치까지 산정 가능하다.
- 동일 부위 치주치료와 동시에 시행한 경우 각각 100% 산정 가능하다.

📋 진료기록부 예시

Date	Region		Treatment & Prognosis
2/1	21	12	C.C 아래 앞니가 자꾸 위 앞니 안을 치는 거 같아요. 흔들림도 있어요. Dx. 만성 복합치주염(K05.31) X-ray taking, 교합조정(교합지 사용) <div align="right">N) Sc</div>

청구화면 예시

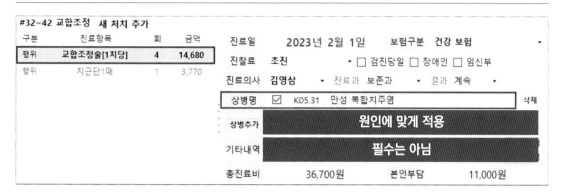

❶ [자주하는 진료] – [보존] – [교합조정]을 클릭한다.

❷ 상병명은 원인에 맞게 적용해 준다.

질문있어요!

Q1
전악 치석제거를 시행 후 아래 전치부에 치아동요가 있어 교합지로 교합 체크 후 교합조정을 시행했어요. 전치부 교합조정술 청구가 가능한가요?

치주 상태가 좋지 않은 경우 전치부가 과도하게 교합되는 경우가 있는데요, 위와 같이 진료한 경우 '전악 치석제거' 항목과 교합조정 시행한 치아 '교합조정술' 항목 각각 100% 산정 가능해요. 교합조정은 교합지를 이용한 경우 하루에 딱 4개 치아까지 청구가 가능하기 때문에 가령 6개 치아 교합조정을 했다고 하더라도 횟수는 '4'로 변경해야 합니다.

Date	Region		Treatment & Prognosis
2/1	7– 7–	–7 –7	C.C 아래 이가 흔들려요. Dx. 만성 단순치주염(K05.30) Panorama taking (전반적인 골 소실, 치주치료 필요) 치석제거
	321	123	교합조정(교합지 사용) N) R/P

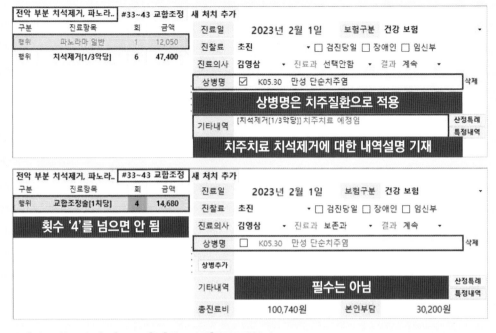

❶ [자주하는 진료] – [X-ray] – [파노라마]를 클릭한다.

❷ [자주하는 진료] – [치주치료] – [부분치석제거]를 클릭한다.

❸ [새 처치 추가] – [자주하는 진료] – [보존] – [교합조정]을 클릭한다.

❹ 교합조정 횟수를 '4'로 수정한다.

❺ 상병명은 치주질환 관련으로 적용한다.

❻ 치석제거(가. 1/3악당) 후 같은 달에 치주치료가 이어지지 않을 경우 반드시 내역설명을 기재하여야 한다.

Q2

씹을 때 위 앞니가 받친다고 하여 상하악 전치부 교합조정을 했어요. 일주일 후 체크로 내원하셔서 확인 후 교합조정을 다시 했어요. 체크 때에는 진찰료만 청구해야 할까요?

아니요. 교합조정술은 1회 4치까지만 산정 가능하지만 횟수가 정해져 있는 것은 아닙니다. 교합조정을 시행했으면 진찰료가 아닌 교합조정술로 청구하면 됩니다. 교합조정술은 교합지를 사용해야 하는 부분도 기억해야 하고 진료기록부에도 꼭 기재해야 해요.

Q3

#26 치아 신경치료 첫날 마취 후 발수를 진행했어요. 진료가 끝났지만 환자가 입을 다물기만 해도 이가 너무 아프다고 해서 진료실로 다시 들어왔어요. 치아가 닿지 않도록 조정해 주었는데, 이 경우 교합조정도 청구가 가능할까요?

아니요. 근관치료 중에는 교합면을 삭제하는 경우가 많은데, 이 경우는 교합을 조정하는 의미는 아니기 때문에 청구할 수 없어요.

Q4

전치부가 많이 흔들리고 아프다고 내원한 환자가 시간 관계상 오늘은 발치를 못한다고 하셨어요. 교합지를 이용해 교합조정할 때 많이 시려하셔서 마취를 했는데 교합조정술 시 마취 청구가 가능할까요? 발치도 안 했는데 청구하는 것이 맞는지 궁금해요.

실제 마취를 시행 후 교합조정을 했다면 마취 또한 청구할 수 있는데, 이때 심사조정 가능성이 높기 때문에 환자분이 시림 호소한 내용을 진료기록부에 자세히 기록해야 하고, 조정된 경우 재심사조정청구를 통해서 인정받으면 돼요.

09

Desensitizing Treatment

지각과민처치 [1치당]

지각과민처치란?
치경부나 치근의 상아질 노출 등에 의해 치아가 지각과민 상태에 있을 때 간단한
약물을 도포하여 과민증을 감소시키는 술식입니다.

🔍 산정기준

가. 약물도포, 이온도입법의 경우(Topical Application, Iontophoresis)

- 약물도포, 이온도입법의 경우 산정한다.

나. 레이저치료, 상아질접착제 도포의 경우(Laser Treatment, Dentin Adhesive Application)

- 식약처에서 허가받은 상아질접착제 또는 레이저를 이용한 경우 산정한다.
- 1일 최대 6치까지 산정 가능하다.
- 1치는 100%, 2치부터는 20% 인정되며 200%까지 인정된다.
- 동일 치아에 6개월 이내 재시행하는 경우는 진찰료만 산정 가능하다.

📋 진료기록부 예시

Date	Region	Treatment & Prognosis
2/1	543	C.C 찬물 마실 때 이가 시려요. Dx. Cervical abrasion (K03.18) Gluma 도포 N) 시린 증상 체크

Date	Region	Treatment & Prognosis
2/1	543	C.C 찬물 마실 때 이가 시려요. Dx. Cervical abrasion (K03.18) SE-bond 도포 N) 시린 증상 체크

🖱 청구화면 예시

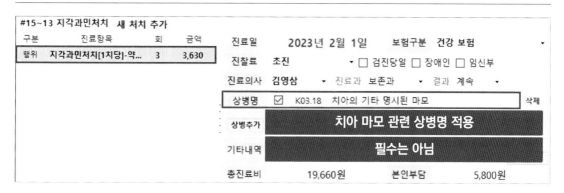

❶ [자주하는 진료]-[보존]-[지각(간단)]을 클릭한다.

❷ 상병명은 마모 관련 상병명으로 적용하고, 치아우식, 치주질환 상병명을 적용하지 않도록 주의하여야 한다.

❸ 지각과민처치(가)의 경우는 내역설명을 기재하지 않아도 된다.

❹ 사용한 재료 및 약제는 별도로 산정할 수 없다.

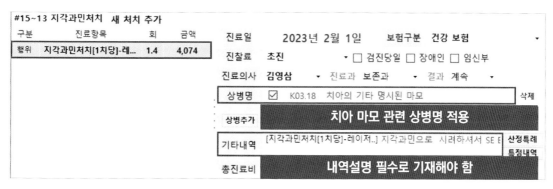

❶ [자주하는 진료]-[보존]-[지각(복잡)]을 클릭한다.

❷ 상병명은 마모 관련 상병명으로 적용해 준다.

❸ 지각과민처치(나)의 경우는 내역설명을 필수로 기재해야 한다.

❹ 사용한 재료 및 약제는 별도로 산정할 수 없다.

질문있어요!

 Q1
오전에 내원하여 전악 스케일링을 한 후 오후에 앞니가 너무 시리다고 해서 SE-bond를 도포했어요. 청구 가능할까요?

당일에 동일 부위 치석제거와 지각과민처치(나)를 같이 시행했다 하더라도 '치석제거' 항목만 청구 가능한데요. 치주치료 후에는 일시적으로 지각과민현상이 나타나게 되고, 점차 증상이 완화되면서 7일 이내에 정상적으로 돌아오기 때문에 지각과민처치(나)는 일주일이 경과한 후에 시행하는 것이 타당하다는 심의 사례가 있어 오후 진료는 별도로 청구할 수 없어요.

 Q2
치경부 마모로 시린 증상 호소하여 GI 충전을 했어요. 다음 날 그 부위가 아직 시리다고 하여 SE-bond 도포를 했어요. SE-bond 도포한 거는 청구 가능할까요?

 충전한 부위에 시행한 경우는 청구할 수 없어요. 진찰료만 산정해야 해요.

 Q3
2월 1일 이가 시리다고 하여 SE-bond 도포를 했어요. 4월 3일 다시 이가 시리다고 내원하셔서 SE-bond 재도포를 했어요. 각각 지각과민처치(복잡)으로 청구 가능할까요?

아니오. 지각과민처치(나)는 6개월 이내 재시행 시 진찰료만 산정해야 하기 때문에 4월 3일 시행한 지각과민처치는 청구할 수 없고, 진찰료만 청구해야 해요.

Date	Region	Treatment & Prognosis
4/3	543	(2/1 동일 부위 SE–bond 도포함) C.C 괜찮아지더니 다시 이가 시려요. Dx. Cervical abrasion (K03.18) SE–bond 도포

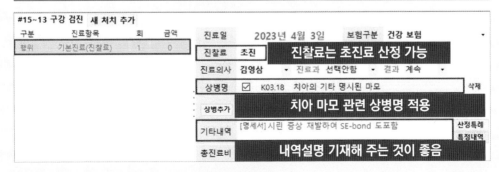

❶ [자주하는 진료]-[기본진료]-[구강검진]을 클릭한다.

❷ 상병명은 마모 관련 상병명으로 적용해 준다.

❸ 내역설명에 SE-bond 재도포에 대한 내용을 기재해 주는 것이 좋다.

❹ 지각과민처치 시행 후 30일이 지난 후에는 진찰료는 초진료로 산정 가능하다.

Q4
지각과민처치제로 SE-bond를 구매했어요. 재료구입신고를 해야 하나요?

지각과민처치제는 재료구입신고 항목이 아니기 때문에 재료구입신고는 하지 않아도 되지만, 거래명세서는 보관해 두는 게 좋아요.

Q5
지각과민처치용으로 레이저 장비를 구입하려고 해요. 어떤 제품으로 구입해야 할까요?

레이저 장비가 지각과민처치용으로 식약처 허가 제품인지 확인 후 구입해야 하고, 구입 후에는 '보건의료자원통합신고포털' 사이트에서 장비신고를 해야 지각과민처치(나)를 청구할 수 있어요.

Q6
치아우식을 예방하기 위해 불소도포 후 지각과민처치로 산정 가능하다고 들었는데 정확히 어떤 내용인가요?

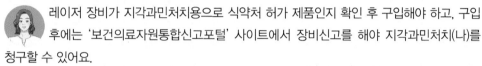

두경부 방사선 치료를 받은 환자, 쉐그렌증후군 환자, 구강건조증 환자(비자극 시 분비되는 전타액 분비량이 분당 0.1 mL 이하를 의미함), 장애인으로 등록되어 있는 뇌병변장애인, 지적장애인, 정신장애인, 자폐성장애인에게 불소를 이용한 치아우식증 예방처치(불소바니시 도포, 불소용액 도포, 이온영동법 등) 시 지각과민처치(가)로 산정 가능해요.

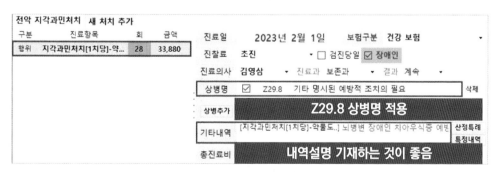

❶ [자주하는 진료] – [보존] – [지각(간단)]을 클릭한다.

❷ 상병명은 Z29.8 기타 명시된 예방적 조치를 적용해야 한다.

❸ 내역설명을 기재해 주는 것이 좋다.

❹ 횟수는 치아 수만큼 산정 가능하다.

❺ 장애인으로 등록되어 있는 경우, 진찰료 가산이 되니 장애인에 체크를 해준다.

Fissure Sealing

치면열구전색술
[1치당]

치면열구전색술이란?

치아의 교합면 등의 홈을 충치가 생기지 않도록 흐름성이 강한 레진으로 메우는 예방치료이다.

🔍 산정기준

- 만 18세 이하를 대상으로 교합면이 치아우식증에 이환되지 않은 제1, 2대구치에 한하여 산정 가능하다.
- 동일 치아의 우식으로 협, 설측 충전치료는 별도 산정 가능하다.
- 본원에서 2년 이내 탈락 또는 파절로 재시행한 경우 진찰료만 산정 가능하다.
- 러버댐은 별도 산정할 수 없다.

📋 진료기록부 예시

Date	Region	Treatment & Prognosis
2/1	7 ┼	C.C 영구치가 다 올라왔는데 예방치료하려고요. Dx. 기타 명시된 예방적 조치(Z29.8) Rubber dam, sealant (O)

PART 2.

보존치료

청구화면 예시

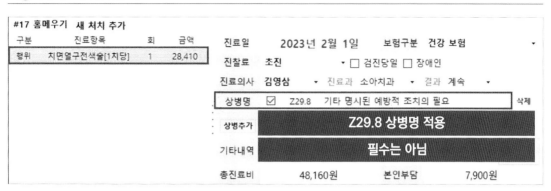

① [자주하는 진료]-[기타]-[홈메우기]를 클릭한다.

② 러버댐장착료는 청구할 수 없다.

③ 상병명은 Z29.8 기타 명시된 예방적 조치를 적용해야 한다.

질문있어요!

 Q1

충치 걱정이 많은 어머님이 자녀 대구치 부위 실란트를 해달라고 해요. 소구치에도 치면열구전색술 산정 가능한가요?

 아니요. 보험으로 적용 가능한 치아는 제 1, 2대구치만 가능해요. 소구치에 시행 시에는 보험이 안되기 때문에 비급여로 수납해야 해요.

 Q2

저희 치과에서 2월 1일에 실란트를 했는데 5월 1일에 동일 치아에 실란트가 탈락되어 다시 해드렸어요. 실란트 청구 가능한가요?

 치면열구전색 시 동일 치아에 2년 이내 탈락 또는 파절로 재시행한 경우 '진찰료'만 산정 가능해요. 5월 1일에는 진찰료만 산정해야 해요.

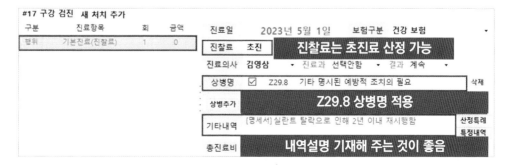

① [홈메우기] 클릭 시 동일 부위 재시행으로 치면열구전색술 입력 확인창이 나오며, '아니오' 버

튼을 클릭한다.

❷ [자주하는 진료] – [기본진료] – [구강검진]을 클릭한다.

❸ 상병명은 Z29.8 기타 명시된 예방적 조치를 적용해 준다.

❹ 내역설명에 2년 이내에 재시행한 내용을 기재해 주는 것이 좋다.

❺ 치면열구전색 시행 후 30일이 지난 후에는 진찰료는 초진료로 산정 가능하다.

Q3
작년 3월에 실란트를 하고 올해 2월에 실란트를 한 부위 일부가 떨어져 그 주위로 2차 우식이 진행되어 기존 실란트 제거 후 광중합형 복합레진 충전을 시행했어요. 청구는 어떻게 해야 하나요?

치면열구전색술 재시행 기준은 2년이지만 우식으로 광중합형 복합레진 충전을 했기 때문에 '광중합형 복합레진 충전'으로 청구 가능하고, 이때 일부 남아 있는 실란트 제거는 별도로 청구할 수가 없어요.

Q4
만 8세 구치부 협면에 광중합형 복합레진 충전과 교합면 실란트 청구 가능한가요? 어떻게 청구해야 할까요?

우식 상병으로 '광중합형 복합레진 충전 1면' 100% 횟수 1, Z29.8 상병으로 '치면열구전색술' 50%로 횟수 0.5로 청구하면 돼요.

Removal of Restoration

치관수복물 또는 보철물의 제거 [1치당]

치관수복물 및 보철물 제거란?

치아에 장착된 충전물이나 보철물을 제거하는 술식입니다.

🔍 산정기준

가. 간단: 아말감, 글래스아이오노머, 복합레진, SP crown, Sm 등 제거 시

나. 복잡: Crown, Inlay, Onlay, Bridge 등 제거 시

- 동일 치아에 간단과 복잡 동시 시행한 경우 복잡만 산정 가능하다.
- 싱글 크라운인 경우 제거 후 상태가 좋지 않아 발치까지 진행한 경우 각각 산정 가능하다.
- 브릿지 제거 시 지대치 사이의 연속된 인공치(Pontic)는 여러 개라도 보철물 제거(복잡) 1회만 산정한다.

📋 진료기록부 예시

Date	Region	Treatment & Prognosis
2/1	5 ┼	C.C 금으로 씌운 이가 덜렁거려요. 냄새도 나는 거 같아요. Dx. 기타 치아우식(K02.8) X-ray taking, I/A lido 1@, Crown remove Caries removal, FUJI IX GP EXTRA filling (O) Temporary crown setting <div align="right">N) endo or imp</div>

청구화면 예시

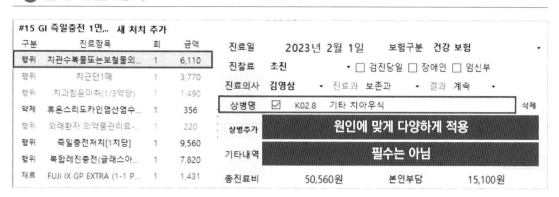

❶ [자주하는 진료]-[제거]-[인레이, Cr제거]를 클릭한다.

❷ 치관수복물 또는 보철물의 제거, 간단 시에는 [충전재제거]를 선택한다.

❸ 치관수복물 또는 보철물의 제거, 복잡 시에는 [인레이, Cr제거]를 선택한다.

❹ 상병명은 수복물을 제거한 원인 상병으로 적용해 준다.

질문있어요!

Q1

#46-48 브릿지 상태이며 #46 cutting 후 그 상태 그대로 #48 발치를 시행했어요. 어떻게 청구해야 하나요?

브릿지를 전체적으로 제거하지 않고, #46 cutting만 시행 후 그 상태로 #48 발치를 시행했다면 치관수복물 또는 보철물의 제거(복잡) 횟수 '1'과 발치 횟수 '1'을 청구하면 돼요.

Q2

3월 15일에 크라운 세팅하고 4월 14일에 시린 증상 있어서 크라운 제거하고 발수를 했어요. 크라운 세팅하고 얼마 지나지 않았는데 보철물 제거는 보험으로 청구 가능한가요?

네, 치관수복물 또는 보철물의 제거(복잡) 산정 가능해요. 이때 본인부담금도 꼭 수납해야 해요.

Q3

치경부 마모된 부분 일부 충전재가 떨어져서 내원했어요. 기존 충전재 부위 제거 후 다시 충전을 했어요. 충전만 산정 가능할까요?

아니요. 기존 충전물 제거를 했기에 '치관수복물 또는 보철물의 제거(간단)' 항목도 청구할 수 있어요.

Q4

만 12세 영구치에 3월 18일에 광중합형 복합레진 충전 후 일부가 탈락되어 28일에 내원하여 레진 제거 후 광중합형 복합레진 충전한 경우 수복물 제거 산정 가능한가요?

기존 레진을 제거했으므로 '치관수복물 또는 보철물의 제거(간단)' 항목은 청구 가능하고, 진료기록부에도 꼼꼼하게 기록해 주는 게 좋아요.

Q5

#13, 12- -22, 23 브릿지 제거 시 보철물 제거 횟수는 어떻게 되나요?

브릿지인 경우 지대치는 1로, 연속된 인공치는 1회로 산정해야 하는 산정기준 기억하시나요? '치관수복물 또는 보철물의 제거(복잡)' 횟수는 총 5회가 돼요.

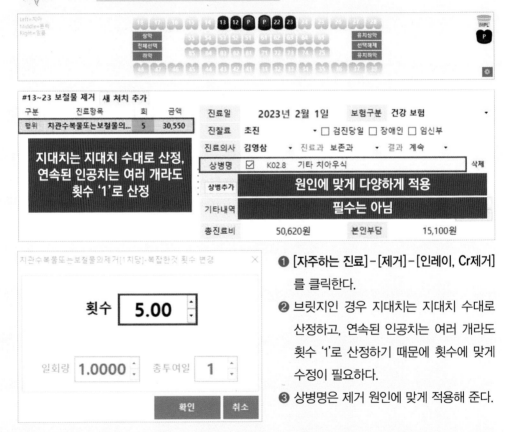

지대치는 지대치 수대로 산정, 연속된 인공치는 여러 개라도 횟수 '1'로 산정

❶ [자주하는 진료] – [제거] – [인레이, Cr제거]를 클릭한다.

❷ 브릿지인 경우 지대치는 지대치 수대로 산정하고, 연속된 인공치는 여러 개라도 횟수 '1'로 산정하기 때문에 횟수에 맞게 수정이 필요하다.

❸ 상병명은 제거 원인에 맞게 적용해 준다.

Q6

크라운 제거 후 내부 상태가 좋지 않아 발치를 했어요. 싱글 크라운 제거 후 발치하면 발치만 산정해야 하나요?

크라운 제거하고 치아 상태 확인 후 예후가 좋지 않아 발치를 했다면 싱글 크라운이라도 '치관수복물 또는 보철물의 제거(복잡)' 항목 100%, '발치술' 100% 각각 모두 청구 가능해요. 내역설명도 필수로 기재해 주는 것이 좋아요.

Date	Region	Treatment & Prognosis
2/1	┼ 5	C.C 씌운 이가 흔들려요. Dx. 만성 복합치주염(K05.31) X-ray taking, I/A lido 1@, PFM remove 예후 불량으로 발치 설명 동의하에 발치함 <div align="right">N) dr</div>

#35 발치, 마취, 보철물제거 새 처치 추가

구분	진료항목	회	금액
행위	치근단1매	1	3,770
행위	치관수복물또는보철물의...	1	6,110
행위	발치술[1치당]-구치	1	8,910
행위	치과침윤마취(1/3악당)	1	1,490
약제	휴온스리도카인염산염수...	1	356
행위	외래환자 의약품관리료-...	1	220

진료일	2023년 2월 1일　　보험구분 건강 보험
진료료	초진　　　▼ □ 검진당일 □ 장애인 □ 임신부
진료의사	김영삼　▼ 진료과 보존과　▼ 결과 계속　▼
상병명	☑　K05.31　만성 복합치주염　　　삭제
상병추가	**원인에 맞게 다양하게 적용**
기타내역	[치관수복물또는보철물의제거[1..] 크라운 제거 후 치아 상태 줄 ┃산정특례┃특정내역┃
총진료비	**내역설명 기재해 주는 것이 좋음**

❶ [자주하는 진료]-[제거]-[인레이, Cr제거]를 클릭한다.

❷ [자주하는 진료]-[발치/외과]-[발치]를 클릭한다.

❸ 상병명은 원인에 맞게 적용해 준다.

❹ 내역설명은 필수로 기재해야 하는데, 줄번호단위(JX999) 기타 내역에 기재해 주는 것이 좋다.

CHAPTER

Recementation

보철물 재부착 [1치당]

보철물 재부착이란?

기존에 장착된 보철물이 탈락되어 다시 부착하는 치료입니다.

🔍 산정기준

- 브릿지의 경우 지대치에 한해서만 산정 가능하다.
- 임시치아 부착은 비급여로 산정해야 한다.

📋 진료기록부 예시

Date	Region		Treatment & Prognosis
2/1	32−	−23	C.C 작년에 씌운 이가 빠졌어요. Dx. 보철물의 파절 및 상실(T85.6) 보철물 재부착 with Fujicem

🖱 청구화면 예시

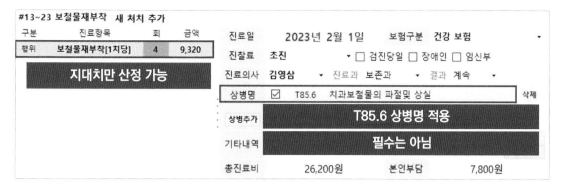

① [자주하는 진료] – [보존] – [보철물재부착]을 클릭한다.

② 지대치만 산정 가능하기 때문에 지대치 개수만큼 횟수를 산정해준다.

③ 상병명은 T85.6 치과보철물의 파절 및 상실로 적용해 주는 것이 적절하다.

질문있어요!

Q1
저희 치과에서 오래전에 보철물 하셨는데 탈락되어 재부착한 경우 초진에 '보철물 재부착' 청구 가능한가요?

네. 본원에서 제작한 보철물이 탈락되어 내원한 경우에도 재부착시 '보철물 재부착' 청구 가능해요. 오히려 보험 진료비가 아닌 비급여로 수납하면 문제가 돼요.

Q2
월요일에 보철물 탈락으로 환자분이 내원하셨어요. 새로 제작하는 것에 부담이 있다며 붙여 달라고 해서 보철물을 재부착해드렸는데 금요일에 다시 보철물이 탈락하여 재부착한 경우 '보철물 재부착' 청구 가능할까요?

네. 새로 제작하는 것이 좋겠지만 환자분 요청으로 재부착하는 경우 '보철물 재부착' 항목으로 내원한 날 모두 청구 가능하고, 이때는 내역설명을 기재해 주는 것이 좋아요.

Q3
2년 전 집 앞 치과에서 라미네이트를 한 치아가 빠져서 내원하셨어요. 라미네이트가 잘 맞아 재부착해드리면 되는데 보험 적용 가능한가요?

타 치과에서 제작한 보철물이 탈락하여 내원하여 재부착한 경우에도 '보철물 재부착' 항목으로 청구 가능하고, 라미네이트 부착 시에도 '보철물 재부착' 항목으로 청구해 주면 돼요.

3. 근관치료

Pulpotomy

치수절단 [1치당]

치수절단이란?
치수강 부분의 치수만 제거 후 근관 내부의 치수는 그대로 두고, 약제 등(F.C)으로 고정하는 술식입니다.

🔍 산정기준

- 치수강 부분의 치수만 제거 후 약제(F.C) 등으로 고정하는 경우 산정 가능하다.
- 치근만곡이나 근관의 폐쇄 등으로 근관치료가 어려운 경우 산정 가능하다.
- 미성숙영구치, 유치의 신경치료 시 산정 가능하다.
- 치수절단 후 당일에 충전까지 시행 시 각각 100% 산정 가능하다.
- 수산화칼슘을 이용한 부분치수절단술 시행에도 산정 가능하다.

📋 진료기록부 예시

Date	Region	Treatment & Prognosis
2/1	E┼	C.C 아이가 이가 아프다고 했다가 또 괜찮다고 해요. Dx. 치수노출이 있는 우식(K02.5) X-ray taking, I/A lido 1@, Pulpotomy F.C cotton, caviton filling, rubber dam

청구화면 예시

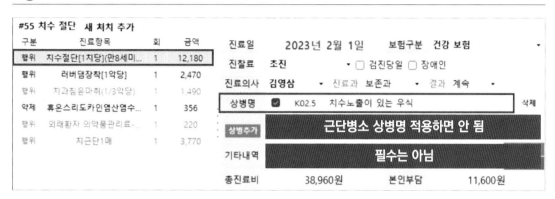

❶ [자주하는 진료] - [근관치료] - [치수절단]을 클릭한다.

❷ 상병명은 치아우식, 치수염, 파절 등 원인에 맞게 적용해 주면 되지만, 근단병소와 관련 있는 상병명을 적용해서는 안 된다.

❸ 8세 미만인 경우 30% 가산되며 프로그램에서 자동으로 적용된다.

질문있어요!

 Q1

#55 치수노출이 있는 우식으로 마취하고 치수절단 후 케탁몰라 충전을 했어요. 청구는 어떻게 해야 하나요?

 처치버튼 첫 번째에 '치수절단' 항목 100% 청구, 처치버튼 두 번째에 'GI 충전' 항목 100% 청구 가능해요. 치수절단 후 충전까지 당일에 시행한 경우 즉일충전처치가 아닌 충전으로 청구해야 한다는 걸 기억하세요.

Date	Region	Treatment & Prognosis
2/1	E	C.C 아이가 이가 아프다고 해서 봤더니 구멍이 생겼어요. Dx. 치수노출이 있는 우식(K02.5) X-ray taking, I/A lido 1@, Pulpotomy Ketac-Molar filling (DO), rubber dam, SS cr.

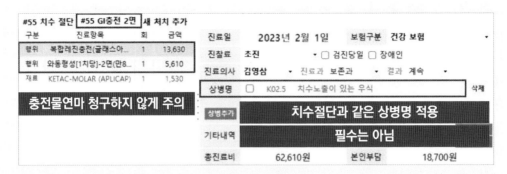

구분	진료항목	회	금액
행위	복합레진충전(글래스아...	1	13,630
행위	와동형성[1치당]-2면(만8...	1	5,610
재료	KETAC-MOLAR (APLICAP)	1	1,530

#55 치수 절단 | #55 GI충전 2면 | 새 처치 추가

충전물연마 청구하지 않게 주의

진료일 2023년 2월 1일 보험구분 건강 보험
진찰료 초진 · ☐ 검진당일 ☐ 장애인
진료의사 김영삼 · 진료과 보존과 · 결과 계속 ·
상병명 ☐ K02.5 치수노출이 있는 우식 삭제

상병추가 **치수절단과 같은 상병명 적용**
기타내역 **필수는 아님**

총진료비 62,610원 본인부담 18,700원

❶ [자주하는 진료]-[근관치료]-[치수절단]을 클릭한다.

❷ [새 처치 추가] 클릭 후 [보존]-[GI충전]-[2면]을 클릭한다.

❸ 상병명은 치수절단 원인에 맞는 상병명으로 동일하게 적용해 준다.

❹ 충전 청구 시 크라운 예정이라면 충전물연마를 적용하지 않도록 주의해야 한다.

Q2
Pulpotomy와 Pulpectomy 차이가 무엇인가요?

Pulpotomy는 치수절단술, Pulpectomy는 치수절제술로 보통 근관치료를 말합니다.

Q3
3월 7일 치수절단 후 15일 통증 호소로 내원하여 발수를 시행했어요. 이때 치수절단은 산정 가능한가요?

네. 3월 7일 치수절단으로 치료가 마무리됐기 때문에 치수절단으로 청구하고, 통증으로 다시 15일에 발수를 시행한 것이라 발수 항목으로 청구 가능하지만, 원칙적으로 치수절단은 신경치료가 치수절단으로 마무리된 것이기 때문에 발수가 이어지면 심사조정 가능성이 매우 높아요. 재심사조정청구를 통해 인정받아야 하니 환자 구강 상태 및 증상 호소 내용에 대해 자세한 진료기록이 필요해요.

Q4
첫째 날 토미, 둘째 날 코튼체인지, 마지막 날 트리오 베이스를 한 후 케탁몰라 충전했어요. 청구는 어떻게 해야 할까요?

첫째 날 '치수절단', 둘째 날 '보통처치', 마지막 날 'GI 충전'으로 산정 가능해요.

Date	Region	Treatment & Prognosis
2/1	E	C.C 아이가 이가 아프다고 해서 봤더니 구멍이 생겼어요. Dx. 치수노출이 있는 우식(K02.5) X-ray taking, I/A lido 1@, Pulpotomy F.C cotton, ZOE filling, rubber dam

PART 3. 근관치료

| 2/6 | E | C.C 임시 약제가 빠졌어요.
F.C change, ZOE filling |
| 2/10 | E | C.C 이제 아프다고 안 해요.
Ketac–Molar Aplicap filling(DO), SS cr. |

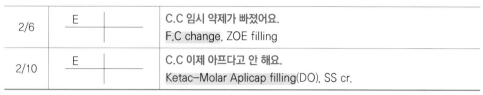

❶ [자주하는 진료] – [근관치료] – [치수절단]을 클릭한다.

❶ [자주하는 진료] – [보존] – [보통처치]를 클릭한다.

❷ 상병명은 치수절단 상병명을 이어서 적용한다.

❸ 내역설명에 시행한 진료 내용을 기재하는 것이 좋다.

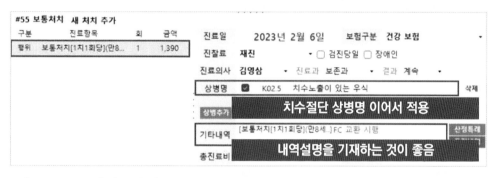

❶ [자주하는 진료] – [보존] – [GI충전] – [2면]을 클릭한다.

❷ 상병명은 치수절단 상병명을 이어서 적용한다.

❸ 충전 청구 시 크라운 예정이라면 충전물연마를 적용하지 않도록 주의해야 한다.

Emergency Pulp Treatment

응급근관처치 [1치당]

응급근관처치란?
급성치수염, 급성근단치주염, 급성치근단농양 등의 상태에서 급성증상의 완화를 위하여 치수강 개방을 하여 통증을 완화시키는 술식입니다.

🔍 산정기준

- 급성 증상을 없앨 목적으로 치수강을 개방해서 **통증을 완화**시키는 경우 산정 가능하다.
- 발수와 동시에 시행한 경우 발수만 산정 가능하다.
- 러버댐장착 시 산정 불가하다.

📋 진료기록부 예시

Date	Region	Treatment & Prognosis
2/1	6	C.C 밤새 어금니가 아파 잠을 못 잤어요. Dx. 치수기원의 급성 근단치주염(K04.4) X-ray taking, B/A lido 2@, Access opening N) P/E

청구화면 예시

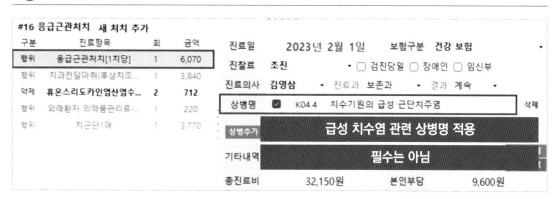

❶ [자주하는 진료] – [근관치료] – [응급처치]를 클릭한다.

❷ 상병명은 급성 치수염 관련 상병으로 적용하는 것이 좋으며, K04.4 치수기원의 급성 근단치주염 상병명을 가장 많이 적용한다.

❸ 진료기록부에 C.C (Chief complain)를 자세히 기록해 주는 것이 중요하다.

질문있어요!

 Q1

새벽까지 잠도 못 자고 극심한 통증 호소로 동일 치아에 동이 없는 근단주위 농양으로 치수강 개방과 구강내소염수술을 동시 시행했어요. 청구는 어떻게 해야 하나요?

 급성 상태로 치수강 개방을 했기 때문에 '응급근관처치' 항목으로 청구 가능하고, 구강내소염수술과 동시 시행한 경우 각각 100% 청구 가능해요.

Date	Region	Treatment & Prognosis
2/1	6	C.C 새벽까지 잠도 못자고 아파서 치과 온 거예요. Dx. 동이 없는 근단주위농양(K04.7) X-ray taking, B/A lido 2@, 응급근관처치 I&D (구개부 절개 및 배농) N) dr

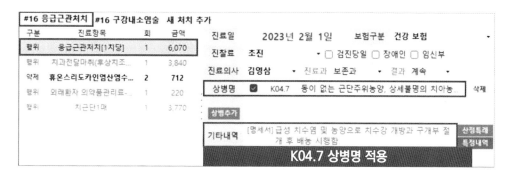

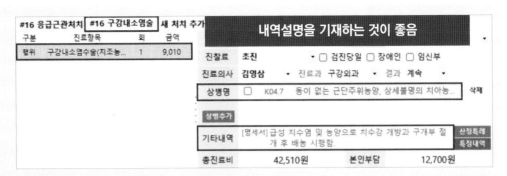

구분	진료항목	회	금액
행위	구강내소염수술(치조농...	1	9,010

내역설명을 기재하는 것이 좋음

진찰료	초진	☐ 검진당일 ☐ 장애인 ☐ 임신부
진료의사	김영삼	진료과 구강외과 ・ 결과 계속
상병명	☐ K04.7 동이 없는 근단주위농양, 상세불명의 치아농... 삭제
상병추가	
기타내역	[명세서] 급성 치수염 및 농양으로 치수강 개방과 구개부 절개 후 배농 시행함. 산정특례 특정내역
총진료비	42,510원	본인부담	12,700원

❶ [자주하는 진료]-[근관치료]-[응급처치]를 클릭한다.

❷ [자주하는 진료]-[발치/외과]-[소염술-치조]를 클릭한다.

❸ 상병명은 K04.7 동이 없는 근단주위농양으로만 적용해야 한다.

❹ 내역설명을 기재하는 것이 좋다.

Q2

치수강 개방만 시행한 경우 보통처치로 산정한다고 했는데 응급근관처치랑 진료 술식이 비슷한 거 같아요.

맞아요. 발수를 완료하기 전에 치수강 개방을 하는 경우에 '보통처치'로 산정하죠. 진료 술식은 비슷하기 때문에 적응증에 따라서 구분해서 청구하면 되는데, 극심한 통증을 호소하여 치수강 개방을 하는 경우 '응급근관처치'이기 때문에 그 근거를 증명할 수 있는 것이 중요한데요. 어떻게 해야 할까요? 바로 진료기록부겠죠! C.C를 자세하게 기재하는 것이 무엇보다 중요해요.

Q3

'K04.01 비가역적 치수염'으로 응급근관처치 청구하면 조정이 되나요?

응급근관처치는 급성 증상으로 통증을 완화하기 위해 시행하기 때문에 비가역적 치수염 상병보다는 'K04.4 치수기원의 급성 근단치주염', 'K04.7 동이 없는 근단주위농양' 등의 상병이 더 적절하겠죠?

03

Pulp Extirpation, Access Cavity Preparation

발수 [1근관당],
근관와동형성 [1근관당]

발수란?

근관치료를 시행하기 위해 근관 내부의 살아있는 치수나 괴사된 염증조직을 제거하는 술식입니다.

근관와동형성이란?

근관치료를 시행하기 위해 근관 입구로 통하는 직선 경로를 얻기 위한 통로를 만드는 행위입니다.

산정기준

- 발수가 완료된 날 근관와동형성과 함께 1회 산정한다.
- Barbed-broach를 사용한 경우 근관당 1회 산정 가능하다.
- 발수와 치아파절편제거를 동시 시행한 경우 각각 100% 산정 가능하다.
- 발수와 구강내소염수술을 동시 시행한 경우 각각 100% 산정 가능하다.
- 발수 시 근관세척은 별도로 산정할 수 없다.
- C형 근관의 경우 별도의 C형 근관 수가로 산정한다.

진료기록부 예시

Date	Region	Treatment & Prognosis
2/1	⌐6	C.C 어금니가 찬 거나 뜨거운 거에 다 아파요. Dx. 비가역적 치수염(K04.01) 하치조신경 전달마취 2앰플, 러버댐 치근단촬영 1매, 근관와동형성, 발수(3 canals), 근관세척(NaOCl, saline), 근관장측정검사(MB: 19.0 mm, ML: 18.5 mm, D: 19.5 mm) 치근단촬영 1매 근관확대, 근관성형, Ni-Ti file, paper point, Caviton N) 근관확대

청구화면 예시

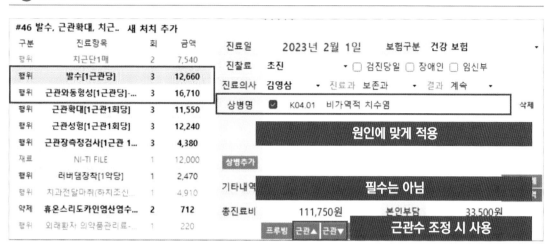

❶ [자주하는 진료] – [근관치료] – [발수]를 클릭한다.

❷ 상병명은 근관치료 원인에 따라 그에 맞는 상병명을 적용해 준다.

❸ 근관수, 치근단 촬영 횟수, 사용한 마취 앰플 수를 확인 후 수정한다.

질문있어요!

Q1
발수 당일 진단목적으로 X-ray는 필수인가요?

근관치료 적정성 평가에서도 나오듯이 발수를 시행하기 전에 진단하는 것은 중요한데요, 이전 방사선 사진이 있는 경우를 제외하고는 당일 진단 목적으로 치근단 촬영을 하는 것이 좋아요.

Q2
이가 깨졌는데 아직 치아에 붙어 덜렁거려서 제거 후 발수를 했어요. 치아파절편제거 산정 가능한가요?

네. 치아 일부가 남아 있어 발치하는 것이 아니고 파절된 부분만 제거하는 경우 '치아파절편제거' 항목으로 청구하며, 남은 근관수대로 '발수' 산정 가능해요. 간혹 파절된 치아 조각을 들고 오시는 분들이 있는데 이 경우는 당연히 치아파절편제거를 청구할 수 없겠죠?

치아파절편제거 [1치당]

치아파절편제거 시 산정 가능하며, 치아파절편제거 후 남은 근관수대로 근관치료 산정 가능하다.

Date	Region	Treatment & Prognosis
2/1	6	C.C 호두 먹다 이가 깨졌는지 이가 덜렁거리고 아파요. Dx. 치수침범이 잇는 치관의 파절(S02.54) 후상치조신경 전달마취 2앰플, 치아파절편제거 치근단촬영 1매, 근관와동형성, 발수(3 canals), 근관세척(NaOCl, saline), 근관장측정검사(MB: 19.0 mm, ML: 18.5 mm, D: 19.5 mm) 치근단촬영 1매 근관확대, 근관성형, Ni-Ti file, paper point, Caviton, Rubber dam N) 근관확대

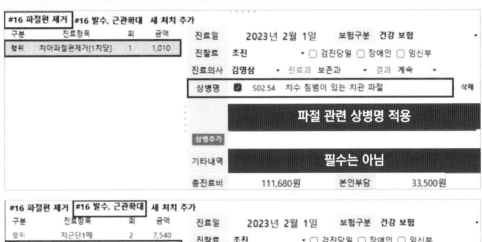

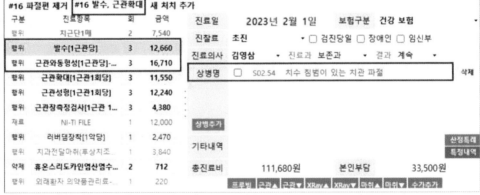

❶ [자주하는 진료] – [보존] – [파절편제거]를 클릭한다.

❷ [자주하는 진료] – [근관치료] – [발수]를 클릭한다.

❸ 상병명은 파절과 관련된 상병으로 적용해 준다.

Q3
#37 발수를 하는데 C형 근관이라고 해요. C형 근관인 경우 어떻게 청구해야 하나요?

2022년 5월부터 C형 근관 항목이 신설되었는데요, C형 근관은 근관의 모양으로 인해 치료가 힘든 만큼 기존 수가보다 약 40% 수가가 인상되었기 때문에 놓치지 말고 청구 해야 해요.

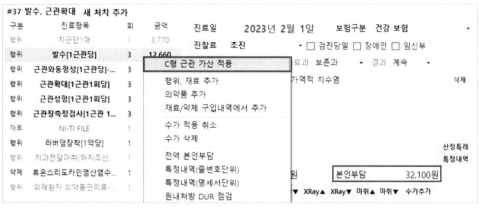

❶ [자주하는 진료]-[근관]-[발수]를 클릭한다.

❷ [발수] 버튼 마우스 우측을 클릭하면 C형 근관 가산 확인 알림창이 나온다.

❸ 근관치료 행위별로 C형 근관에 해당이라고 변경되는 것을 확인한다.

C형 근관 치아 근관치료의 급여기준

가. 급여대상: C형 근관을 가진 영구치

나. 인정기준

1) 근관 위치 및 형태 등 의사의 소견을 기록하고 근관충전 후 방사선 영상자료를 반드시 보관하여야 함.
　다만, 치료를 실패한 경우에는 근관치료 중 촬영한 영상으로 갈음함.

2) C형 근관을 가진 영구치 중 상악 제2대구치, 하악 제1소구치, 하악 제2대구치가 아닌 경우에는 요양급여
　비용 청구 시 진료기록부 및 영상자료 등 증빙자료를 첨부하여 제출토록 함.

보건복지부 고시 제2022-103호(2022.5.1. 시행)

Root Canal Length Measuring

근관장측정검사
[1근관당]

근관장측정검사란?

근관 내에 File을 삽입한 상태에서 방사선사진을 촬영하거나 전자근관장측정기 (Root–ZX)를 사용하여 정확한 근관의 길이를 측정하는 검사를 시행한 경우 산정합니다.

🔍 산정기준

- 근관치료 과정 중 3회 산정 가능하다.
- 측정된 근관길이를 진료기록부에 기록해야 한다.
- 전자근관장측정장비 사용 시 장비신고 완료 후 산정 가능하다.

📋 진료기록부 예시

Date	Region	Treatment & Prognosis
2/8	6	C.C 아직 뿌리 끝이 시큰한 거 같아요. Dx. 비가역적 치수염(K04.01) 근관확대, 근관성형, 근관세척 근관장측정검사(MB: 19.0 mm, DB: 17.5 mm, ML: 18.5 mm, DL: 19.5 mm) 치근단촬영 2매(각도 달리 촬영) NaOCl, saline, paper point, caviton, rubber dam N) 근관확대

PART 3.

근관치료

청구화면 예시

#46 근관확대, 성형 새 처치 추가			
구분	진료항목	회	금액
행위	근관확대[1근관1회당]	4	15,400
행위	근관성형[1근관1회당]	4	16,320
행위	근관세척[1근관1회당]	4	7,400
행위	근관장측정검사[1근관 1...	4	5,840
행위	러버댐장착[1악당]	1	2,470
행위	치근단 동시 2매	1	5,930

진료일　　2023년 2월 8일　　보험구분　건강 보험

진찰료　재진　　　　　▾ □ 검진당일 □ 장애인 □ 임신부

진료의사　김영삼　　▾ 진료과 보존과　　▾ 결과 계속　　▾

상병명　☑　K04.01　비가역적 치수염　　삭제

이전 발수 상병명 이어서 적용

상병추가

기타내역　**필수는 아님**

총진료비　　71,630원　　본인부담　　21,400원

❶ 발수나 근관확대, 근관충전 버튼에 함께 포함되어 있어서 청구 시 누락되지 않았는지만 확인한다.

❷ 상병명은 이전 발수 상병명을 이어서 적용한다.

질문있어요!

Q1

근관세척 시 근관장 길이도 측정했어요. 근관장측정검사 청구가 가능한가요?

근관장측정검사는 근관치료 과정 중 총 3회 산정 가능해요. 근관장측정기록이 차트에 기록되어 있어야 하며, 총 3회가 청구되어 있는지 확인해 주세요.

Q2

근관장측정기를 사용하고 있는데 X-ray를 촬영하지 않아도 근관장측정검사 청구 가능한가요?

네, 청구 가능해요. 근관장측정기는 장비신고 필수 항목으로 장비신고가 되어 있는지 꼭 확인을 먼저 해야 하고, 장비신고가 되어 있다면 X-ray 촬영 없이도 근관장측정검사 청구 가능해요. 만약에 근관장측정기를 사용하지만 정확한 측정을 위해 X-ray 촬영을 병행한다면 X-ray도 청구 가능해요. 다만, 진료기록부에 근관 길이가 꼭 기재되어 있어야 하니 빠뜨리지 않도록 주의해 주세요.

Root Canal Enlargement, Root Canal shaping

근관확대, 근관성형
[1근관 1회당]

근관확대란?

Reamer나 File을 사용하여 근관 내부를 확대하는 술식입니다.

근관성형이란?

근관을 소독, 기구 조작 및 충전하기에 적합한 모양으로 근관 내부의 모양을 성형해 주는 술식입니다.

🔍 산정기준

- 근관확대는 근관치료 기간 중 1근관당 2회까지 산정 가능하다.
- File은 1근관당, Ni-Ti file은 1치당 산정하나, 둘 중 하나만 산정 가능하다.
- 유치에 근관확대는 감염된 근관인 경우, 영구치의 교체시기가 많이 남아 있는 경우에는 산정 가능하다.
- 근관성형은 근관치료 기간 중 근관확대와 함께 2회 산정 가능하다.
- 원칙적으로 유치에는 근관성형을 산정할 수 없다. 단, 후속영구치 결손인 경우 사례별로 인정한다.

📋 진료기록부 예시

Date	Region	Treatment & Prognosis
2/1	6 ┼	C.C 어금니가 찬 거나 뜨거운 거에 다 아파요. Dx. 비가역적 치수염(K04.01) X-ray taking, B/A lido 2@ Rubber dam Access cavity preperation, Pulp extirpation (3 canals) Canal enlargement, Canal shaping, Canal irrigation (NaOCl, saline) Working length determination (MB: 19.0 mm, ML: 18.5 mm, D: 19.5 mm) X-ray taking, Ni-Ti file, K-file, paper point, Caviton N) 근관확대

Date	Region	Treatment & Prognosis
2/8	6	C.C 첫날 치료받고 나서 많이 좋아졌어요. Dx. 비가역적 치수염(K04.01) Rubber dam, I/A lido 1@ Canal enlargement, Canal shaping, Canal irrigation (NaOCl, saline) Working length determination (MB: 19.0 mm, ML: 18.5 mm, D: 20.0 mm) X-ray taking, Ni-Ti file, K-file, paper point, Caviton 　　　　　　　　　　　　　　　　　　　　　N) 근관세척

🦷 청구화면 예시

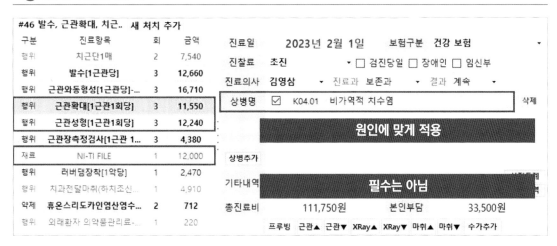

❶ [자주하는 진료] – [근관치료] – [발수]를 클릭한다.

❷ [발수] 버튼에는 치근단, 발수, 근관와동형성, 근관확대, 근관성형, Ni-Ti file, 근관장측정검사, 러버댐장착, 마취가 포함되어 있다. 시행하지 않은 항목은 삭제하도록 한다.

❸ 상병명은 근관치료 원인에 맞게 적용해 준다.

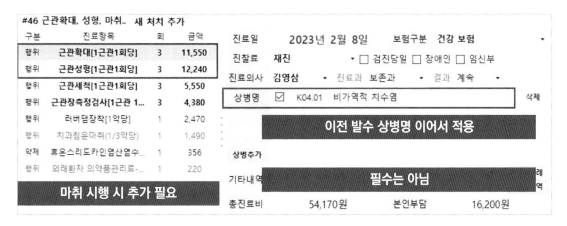

❶ [자주하는 진료] – [근관치료] – [근관확대]를 클릭한다.

❷ [근관확대]에는 근관확대, 근관성형, 근관세척, 근관장측정검사, 러버댐장착료가 포함되어 있다.

❸ 마취 시행 시 추가로 청구한다.

❹ 상병명은 이전 발수 상병명을 이어서 적용한다.

 질문있어요!

 Q1

#54 근관확대하는 날 Ni-Ti file을 사용했어요. 산정 가능한가요?

유치의 경우 근관에 감염이 발생한 경우, 후속 영구치 결손인 경우 근관확대 산정 가능하며 근관확대 시 Ni-Ti file을 사용했다면 당연히 청구 가능한데, 이때 내역설명은 필수로 기재해 주어야 해요.

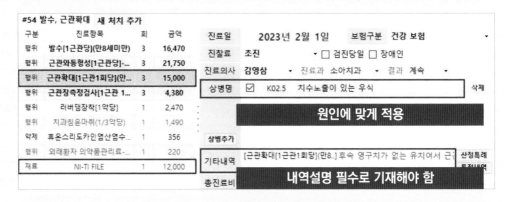

 Q2

후속 영구치 없는 유치에 근관성형 청구 가능한가요?

최대한 유치를 오래 보존하기 위해 신경치료를 하는 경우 근관확대 시행 시 추후 가압 근관충전을 계획하고 있다면 근관확대와 함께 근관성형도 청구 가능해요. 왜 근관성형을 해야 하는지 이유를 자세하게 진료기록으로 남겨주고, 내역설명도 필수로 기록해 주어야 해요. 근관성형은 단독으로 청구할 수 없기 때문에 꼭 근관확대와 함께 2회 청구해 주면 돼요.

Root Canal Irrigation

근관세척 [1근관 1회당]

근관세척이란?
근관치료 중 근관을 세척하고 배농 또는 근관 내에 첨약을 시행하는 행위입니다.

🔍 산정기준

- 발수, 근관충전 시에는 근관세척은 별도 산정할 수 없다.
- 5회까지 산정 가능하다(단, 환자의 치아 상태에 따라 추가 산정 가능하며, 내역설명을 기재한다).

📋 진료기록부 예시

Date	Region	Treatment & Prognosis
2/15	6	C.C 아직 조금 욱신욱신한 것 같아요. Dx. 동이 없는 근단주위농양(K04.7) Rubber dam, Canal irrigation (NaOCl, saline) Paper point, Caviton N) c/i

청구화면 예시

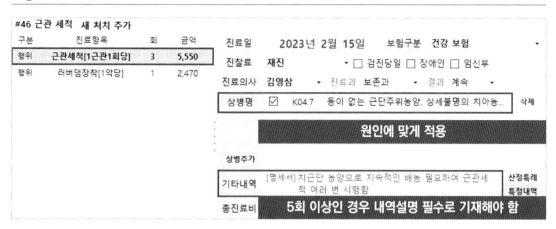

❶ [자주하는 진료] – [근관치료] – [근관세척]을 클릭한다.

❷ 근관세척 5회 이상 시 상병명은 근단농양과 관련된 상병으로 적용하고, 반드시 내역설명도 기재해 주어야 한다.

질문있어요!

Q1

근관확대, 근관세척 후 근관충전까지 시행했어요. 근관세척은 왜 청구가 안 된다고 알림창이 나오나요?

근관세척은 근관확대 시 산정 가능하지만 근관충전 시에는 근관세척 행위가 포함되어 있어 산정할 수 없어요.

Date	Region	Treatment & Prognosis
2/8	6	C.C 첫날 치료받고 나서 많이 좋아졌어요. Dx. 비가역적 치수염(K04.01) Rubber dam, I/A lido 1@ Canal enlargement, Canal shaping, Canal irrigation (NaOCl, saline) Working length determination (MB: 19.0 mm, ML: 18.5 mm, D: 20.0 mm) X-ray taking, Canal filling with condensation method (AH26, G.P cone, 3 canals) X-ray taking N) GI core

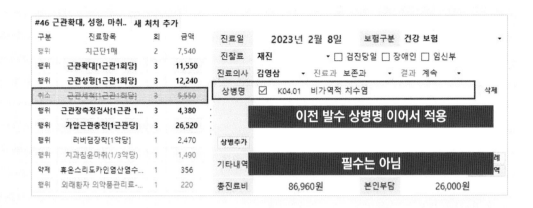

구분	진료항목	회	금액
행위	치근단1매	2	7,540
행위	근관확대[1근관1회당]	3	11,550
행위	근관성형[1근관1회당]	3	12,240
취소	근관세척[1근관1회당]	3	5,550
행위	근관장측정검사[1근관 1...	3	4,380
행위	가압근관충전[1근관당]	3	26,520
행위	러버댐장착[1악당]	1	2,470
행위	치과침윤마취(1/3악당)	1	1,490
약제	휴온스리도카인염산염수...	1	356
행위	외래환자 의약품관리료-...	1	220

#46 근관확대, 성형, 마취.. 새 처치 추가

진료일 **2023년 2월 8일** 보험구분 **건강 보험**

진찰료 재진 □ 검진당일 □ 장애인 □ 임신부

진료의사 김영삼 진료과 보존과 결과 계속

상병명 ☑ K04.01 비가역적 치수염 삭제

이전 발수 상병명 이어서 적용

상병추가

필수는 아님

기타내역

총진료비 86,960원 본인부담 26,000원

Q2
근관세척 시 환자분이 통증을 호소하여 마취를 했어요. 근관세척만 했는데 마취 산정 가능한가요?

네, 근관치료 중 환자분이 통증을 호소하여 마취를 시행하는 경우 산정 가능해요.

Q3
환자분 뿌리 끝에 염증이 심하여 근관세척을 5번 이상 하고 있는데 청구 가능한가요?

네, 근관 세척은 5회까지만 인정하지만 근관치료와 관련된 잔존 통증 및 농의 배출 등과 같은 특별한 경우에는 환자 상태에 따라 추가 산정 가능해요. 이때에는 내역설명을 꼭 기록하는 것이 좋겠지요.

07.

Root Canal Filling

근관충전 [1근관당]

근관충전이란?
근관치료의 마지막 단계로 근관 내 생체적합한 물질로 채우는 과정입니다.

산정기준

가. 단순근관충전 Root Canal Filling with Single Cone Method
유치의 근관충전, 영구치의 single cone technique, 미성숙영구치 치근첨형성술의 경우 산정한다.

나. 가압근관충전 Root Canal Filling with Condensation Method
근관성형을 한 근관에 대해 Gutta Percha cone을 주로 사용하여 근관을 가압해서 완전히 밀폐시
키는 경우 산정한다.

- 근관충전과 충전을 동시 시행한 경우 각각 100% 산정 가능하다.
- MTA 사용하여 근관충전하는 경우 MTA 재료대는 비급여 산정 가능하다.
- 근관세척은 근관충전 행위에 포함되어 있어 별도 산정 불가하다.

📋 진료기록부 예시

Date	Region	Treatment & Prognosis
2/15	6	C.C 괜찮았어요. Dx. 비가역적 치수염(K04.01) Canal irrigation (NaOCl, saline) Working length determination (MB: 19.0 mm, ML: 18.5 mm, D: 19.5 mm) Canal filling with condensation method (AH26, G.P cone, 3 canals) X-ray taking, rubber dam

청구화면 예시

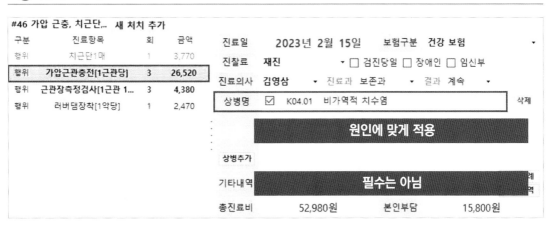

● [자주하는 진료]-[근관치료]-[가압근충]을 클릭한다.

● 근관충전 시에는 근관세척은 청구할 수 없다.

질문있어요!

Q1

가압근관충전 시 G.P cone 시적 후 치근단 각도를 달리하여 2장 촬영, 근관충전 완료 후 치근단 1장을 촬영했어요. 치근단 모두 산정 가능한가요?

네, '치근단동시 2매', '치근단촬영 1매' 항목 모두 청구 가능해요. 근관치료 중 치근단 사진 촬영 시 놓치지 말고 목적에 맞게 청구하세요.

Q2
첫날 발수 하고 둘째 날 가압근충을 했어요. 가압근충한 날 근관확대 청구 가능한가요?

근관확대는 근관치료 중 근관성형과 함께 총 2회 산정 가능하기 때문에 가압근충 한 날 같이 청구해 주면 돼요.

Date	Region	Treatment & Prognosis
2/8	6	C.C 첫날 치료받고 나서 많이 좋아졌어요. Dx. 비가역적 치수염(K04.01) Rubber dam, I/A lido 1@ Canal enlargement, Canal shaping, Canal irrigation (NaOCl, saline) Working length determination (MB: 19.0 mm, ML: 18.5 mm, D: 20.0 mm) X-ray taking, Ni-Ti file, K-file, Canal filling with condensation method (AH26, G.P cone, 3 canals) X-ray taking, Caviton N) GI core

#46 가압 근충 새 처치 추가

구분	진료항목	회	금액
행위	치근단1매	2	7,540
행위	가압근관충전[1근관당]	3	26,520
행위	근관장측정검사[1근관 1...	3	4,380
행위	근관확대[1근관1회당]	3	11,550
행위	근관성형[1근관1회당]	3	12,240
행위	러버댐장착[1악당]	1	2,470
행위	치과침윤마취(1/3악당)	1	1,490
약제	휴온스리도카인염산염수...	1	356
행위	외래환자 의약품관리료-...	1	220

진료일 2023년 2월 8일 보험구분 건강 보험

진찰료 재진 □ 검진당일 □ 장애인 □ 임신부

진료의사 김영삼 진료과 보존과 결과 계속

상병명 ☑ K04.01 비가역적 치수염 삭제

이전 발수 상병명 이어서 적용

상병추가

기타내역

필수는 아님

총진료비 86,960원 본인부담 26,000원

Q3

근관충전 시 추가 근관을 발견했어요. 어떻게 청구해야 하나요?

근관치료는 근관당이기 때문에 추가 근관 발견 시에는 발수부터 근관치료 행위 모두 산정 가능해요. 내역설명도 반드시 기재해야 하고, 추가 근관치료 행위 시 이미 Ni-Ti file을 청구했다면 Ni-Ti file은 1치당 산정해야 하므로 청구할 수 없으니 주의해야 해요.

Date	Region	Treatment & Prognosis
2/8	6	C.C 치료받고 나서 많이 좋아졌어요. Dx. 비가역적 치수염(K04.01) Canal filling with condensation method (AH26, G.P cone, 3 canals) X-ray taking, rubber dam DB 추가근관 발견 I/A lido 1@ Access cavity preparation, Pulp extirpation (1 canals) Canal irrigation (NaOCl, saline) Canal enlargement, Canal shaping, Working length determination (DB: 18.5 mm) X-ray taking, Ni-Ti file, K-file, paper point, Caviton N) c/f

#46 가입 근충, 치근단... #46 추가근관 발수, 근관확.. 새 처치 추가

구분	진료항목	회	금액
행위	치근단1매	1	3,770
행위	가입근관충전[1근관당]	3	26,520
행위	러버댐장착[1악당]	1	2,470

진료일 **2023년 2월 8일** 보험구분 건강 보험
진찰료 재진 □ 검진당일 □ 장애인 □ 임신부
진료의사 김영삼 진료과 보존과 결과 계속
상병명 ☑ K04.01 비가역적 치수염 삭제

이전 발수 상병명 이어서 적용

상병추가
기타내역 산정특례 특정내역
총진료비 76,620원 본인부담 22,900원

#46 가입 근충, 치근단... #46 추가근관 발수, 근관확.. 새 처치 추가

구분	진료항목	회	금액
행위	치근단1매	1	3,770
행위	발수[1근관당]	1	4,220
행위	근관와동형성[1근관당]-...	1	5,570
행위	근관확대[1근관1회당]	1	3,850
행위	근관성형[1근관1회당]	1	4,080
행위	근관장측정검사[1근관 1...	1	1,460
행위	치과침윤마취(1/3악당)	1	1,490
약제	휴온스리도카인염산염수...	1	356
행위	외래환자 의약품관리료-...	1	220

진료일 **2023년 2월 8일** 보험구분 건강 보험
진찰료 재진 □ 검진당일 □ 장애인 □ 임신부
진료의사 김영삼 진료과 보존과 결과 계속
상병명 □ K04.01 비가역적 치수염 삭제

상병추가
기타내역 [발수[1근관당]] 추가 근관 발견하여 발수부터 시행함 산정특례 특정내역
총진료비

내역설명 필수로 기재해야 함

❶ [자주하는 진료]-[근관치료]-[가입근충]을 클릭한다.
❷ [새 처치 추가] 클릭 후, [발수]를 클릭한다.
❸ 근관 횟수를 추가 근관수에 맞게 수정한다.

❹ Ni-Ti file을 삭제했는지 확인한다.

❺ 내역설명에 반드시 추가 근관을 발견한 내용을 기재해 주어야 한다.

Q4
유치에 비타펙스로 충전을 했어요. 근관충전 두 가지 중 무엇으로 청구하는 건가요?

비타펙스로 충전 시에는 단순근관충전으로 청구해야 하고, 유치에는 특별한 경우가 아니라면 단순근관충전만 청구 가능해요.

Date	Region	Treatment & Prognosis
2/8	D	C.C 괜찮았어요. Dx. 치수노출이 있는 우식(K02.5) 러버댐, Canal enlargement Canal irrigation (NaOCl, saline) Working length determination (MB: 14.0 mm, ML: 15.5 mm, D: 15.0 mm) Canal filling with Vitapex (3 canals) X-ray taking

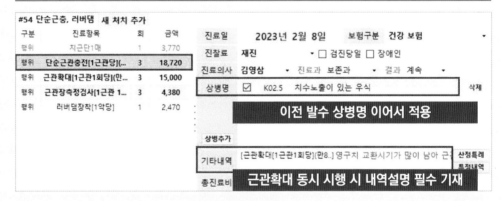

❶ [자주하는 진료] - [근관치료] - [단순근충]을 클릭한다.

❷ 청구화면에서 마우스 오른쪽 버튼을 클릭하여 근관확대 및 근관장측정검사를 추가해 준다.

❸ 근관확대를 같이 시행했다면 내역설명을 필수로 기재해 주어야 한다.

08

One Visit Endodontics

당일발수근충 [1근관당]

당일발수근충이란?

당일에 발수부터 근관충전까지 완료하는 경우에 산정합니다.

🔍 산정기준

- 유치와 영구치로 구분하여 산정한다.
- 당일에 발수부터 근관충전까지 완료한 경우 산정한다.
- Barbed-broach, File 또는 Ni-Ti file 산정 가능하다.
- 당일발수근충과 충전을 동시 시행한 경우 각각 100% 산정 가능하다.
- 촬영한 X-ray 모두 산정 가능하다.

📋 진료기록부 예시

Date	Region	Treatment & Prognosis
2/1	1	C.C 앞니 색이 점점 어두워져요. Dx. 치수의 괴사(K04.1) 치근단촬영, 침윤마취 1앰플 근관와동형성, 발수(1 canals), 근관장측정검사(21 mm) 치근단촬영 근관확대, 근관성형, 근관세척(NaOCl, saline), Ni-Ti file, 가압근관충전, Paper point, AH26, G.P cone 치근단촬영(근충 확인), Caviton

🐭 청구화면 예시

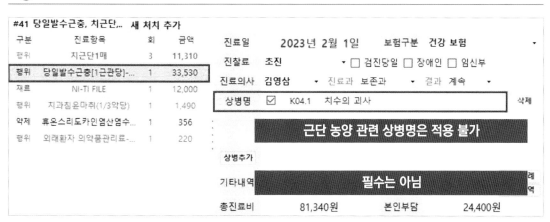

❶ [자주하는 진료] – [근관치료] – [당일발수근충]을 클릭한다.

❷ 치근단 촬영 횟수에 맞게 수정한다.

❸ 상병명은 근관치료 원인에 따라 적용해 주면 되지만, 근단 농양과 관련된 상병명은 적용하지 않도록 한다.

🎧 질문있어요!

 Q1

근관충전하는 날 추가 근관을 찾아서 당일발수근충 했어요. 이때 Ni-Ti file은 어떻게 산정해야 하나요?

 Ni-Ti file은 근관치료 중 치아당 1회 산정 가능하기 때문에 이전에 청구했다면 별도로 산정할 수는 없어요.

Date	Region	Treatment & Prognosis
2/8	6	C.C 첫날 치료받고 나서 많이 좋아졌어요. Dx. 비가역적 치수염(K04.01) Canal filling with condensation method (AH26, G.P cone, 3 canals) X-ray taking, rubber dam DB 추가근관 발견 I/A lido 1@ Access cavity preparation, Pulp extirpation (1 canals) Canal irrigation (NaOCl, saline) Canal enlargement, Canal shaping, Working length determination (DB: 18.5 mm) Ni-Ti file, K-file, paper point, Caviton Canal filling with condensation method (AH26, G.P cone) X-ray taking, Caviton N) GI core

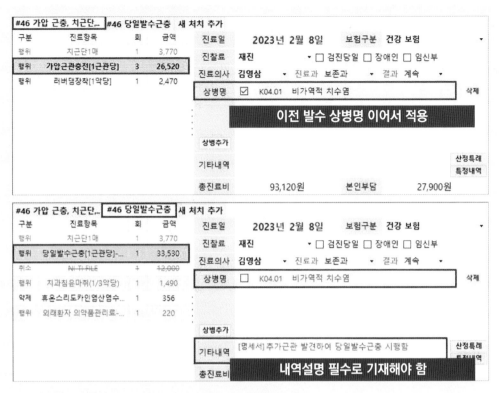

❶ [자주하는 진료]-[근관치료]-[가압근충]을 클릭한다.

❷ [당일발수근충]을 클릭한 후, 근관수에 따라 횟수를 수정한다.

❸ Ni-Ti file을 삭제했는지 확인한다.

❹ 내역설명에 반드시 추가 근관 발견에 대한 내용을 기재해 주어야 한다.

Q2
당일발수근충에 근관장측정검사 청구 가능한가요?

당일발수근충은 발수부터 근관충전까지 완료한 경우 산정 가능하고, 근관장측정검사 또한 포함되어 있기 때문에 별도로 산정할 수 없어요.

Removal of Old Root Canal Filling

근관내 기존 충전물 제거
[1근관당]

근관내 기존 충전물 제거란?

근관충전 완료된 치아에 문제가 발생한 경우 재근관치료를 위해 근관 내부의 기존 충전물(주로 G.P cone과 sealer)을 제거하는 행위입니다.

🔍 산정기준

- G.P cone을 제거하는 경우 1회에 한하여 근관당 산정한다.
- 근관내 기존 충전물 제거와 함께 근관와동형성부터 산정 가능하다.
- File은 1근관당, Ni-Ti file은 1치당 산정하나, 둘 중 하나만 산정 가능하다.
- 근관내 기존 충전물 제거와 치관수복물 또는 보철물의 제거를 동시 시행한 경우 각각 100% 산정 가능하다.
- 근관내 기존 충전물 제거와 치관수복물 또는 보철물의 제거, 금속재 포스트 제거를 동시 시행한 경우에는 근관내 기존 충전물 제거는 50%만 산정 가능하다.

📋 진료기록부 예시

Date	Region	Treatment & Prognosis
2/1	┼ 1	C.C 앞니 신경치료하고 씌운 이가 아프다 말다 해요. Dx. 만성 근단치주염(K04.5) I/A lido 1@, X-ray taking PFM crown, Miracle Mix & G.P cone remove 근관와동형성, 근관세척, 근관확대, 근관성형 Ni-Ti file, K-file, paper point 근관장측정(19.5 mm) Caviton filling 임시치아 제작 및 부착

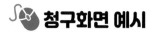 청구화면 예시

구분	진료항목	회	금액
행위	치관수복물또는보철물의...	1	6,110
행위	치근단1매	1	3,770
행위	근관내기존충전물제거[1...	1	11,640
행위	근관와동형성[1근관당]-...	1	5,570
행위	근관세척[1근관1회당]	1	1,850
행위	근관확대[1근관1회당]	1	3,850
행위	근관성형[1근관1회당]	1	4,080
행위	근관장측정검사[1근관 1...	1	1,460
재료	Ni-TI FILE	1	12,000
행위	치과침윤마취(1/3악당)	1	1,490
약제	휴온스리도카인염산염수...	1	356
행위	외래환자 의약품관리료-...	1	220

#21 재 근관치료 새 처치 추가

진료일 2023년 2월 1일 보험구분 건강 보험
진찰료 초진 ☐ 검진당일 ☐ 장애인
진료의사 김영삼 진료과 보존과 결과 계속
상병명 ☑ K04.5 만성 근단치주염 삭제

원인에 따라, 근단 관련 상병명 적용

상병추가

기타내역 **필수는 아님**

총진료비 73,850원 본인부담 22,100원

프루빙 근관▲ 근관▼ XRay▲ XRay▼ 마취▲ 마취▼ 수가추가

❶ [자주하는 진료] - [제거] - [인레이, Cr제거]를 클릭한다.

❷ [자주하는 진료] - [근관치료] - [Re-endo]를 클릭한다.

❸ 상병명은 재근관치료 원인에 따라 적용해 주면 되지만, 근단 관련 상병명을 적용해 주는 것이 적절하다.

질문있어요!

 Q1
크라운 제거 후 금속 포스트 제거, 기존 G.P cone 제거 2근관 했어요. 이때 산정은 어떻게 해야 할까요?

 동일 치아에 보철물 제거 후, 금속재 포스트 제거, 근관내 기존 충전물 제거를 동시에 시행한 경우 근관내 기존 충전물 제거만 50% 산정하면 되고, 횟수를 0.5로 수정하면 돼요.

> **금속재 포스트 제거 [1근관당]**

금속 포스트, 파이버 포스트 제거 시 근관당 산정한다.

Date	Region	Treatment & Prognosis
2/1	┼ 4	C.C 오래전에 **씌운 이가 아파요.** Dx. 동이 없는 근단주위농양(K04.7) I/A 1앰플, 치근단촬영 Gold crown, Metallic post removal, G.P cone remove (2 canals) 근관와동형성, 근관세척, 근관확대, 근관성형 근관장측정(M: 17.0 mm, P: 18.5 mm), Ni-Ti file, K-file, paper point, Caviton filling N) c/e

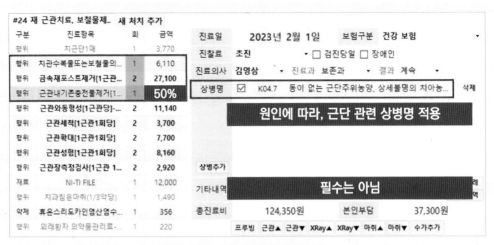

#24 재 근관치료, 보철물제.. 새 처치 추가

구분	진료항목	회	금액
행위	치근단1매	1	3,770
행위	치관수복물또는보철물의...	1	6,110
행위	금속재포스트제거[1근관...	2	27,100
행위	근관내기존충전물제거[1...	1	50%
행위	근관와동형성[1근관당]-...	2	11,140
행위	근관세척[1근관1회당]	2	3,700
행위	근관확대[1근관1회당]	2	7,700
행위	근관성형[1근관1회당]	2	8,160
행위	근관장측정검사[1근관 1...	2	2,920
재료	NI-TI FILE	1	12,000
행위	치과침윤마취(1/3악당)	1	1,490
약제	휴온스리도카인염산염수...	1	356
행위	외래환자 의약품관리료-...	1	220

진료일	2023년 2월 1일	보험구분 건강 보험
진찰료	초진	□ 검진당일 □ 장애인
진료의사	김영삼	진료과 보존과 · 결과 계속
상병명	☑ K04.7 동이 없는 근단주위농양, 상세불명의 치아농...	삭제

원인에 따라, 근단 관련 상병명 적용

| 상병추가 |
| 기타내역 |

필수는 아님

| 총진료비 | 124,350원 | 본인부담 | 37,300원 |

프루빙 근관▲ 근관▼ XRay▲ XRay▼ 마취▲ 마취▼ 수가추가

❶ [자주하는 진료]-[제거]-[인레이, Cr제거], [포스트제거]를 클릭한다.

❷ [자주하는 진료]-[근관치료]-[Re-endo]를 클릭한다.

❸ 근관내 기존 충전물 제거는 50%만 산정해야 하기 때문에 횟수를 수정해 준다. 이때 금속재포스트 제거 횟수와 비교해서 근관당으로 50% 적용해 주면 된다.

❹ 상병명은 재근관치료 원인에 맞게 적용해 주면 되지만, 근단 관련 상병명을 적용해 주는 것이 적절하다.

Q2

리엔도 당일 근관충전까지 완료한 경우 근관내 기존 충전물 제거와 당일발수근충 산정 가능한가요?

근관내 기존 충전물 제거 후 근관충전까지 완료한 경우 발수는 이전에 시행했기 때문에 당일발수근충은 산정 불가하며, 근관내 기존 충전물 제거, 근관와동형성, 근관확대, 근관성형, 근관장측정검사, 근관충전 각각으로 산정해 주고, 이때 사용한 file 혹은 Ni-Ti file도 산정 가능해요. 근관충전이 시행되기 때문에 근관세척은 별도로 청구하지 않게 주의해야 해요.

Date	Region	Treatment & Prognosis
2/1	5	C.C 3년 전에 보철한 이가 씹을 때 계속 아파요. Dx. 만성 근단치주염(K04.5) 치근단촬영, 침윤마취 1앰플 Gold crown, Miracle Mix & G.P cone remove (1 canal) 근관와동형성, 근관세척, 근관확대, 근관성형 Ni-Ti file, K-file, paper point 근관장측정(19.5 mm) 치근단촬영, 가압근관충전(AH26, G.P cone), Caviton filling, rubber dam 치근단촬영, 임시치아 제작 및 부착

PART 3. 근관치료

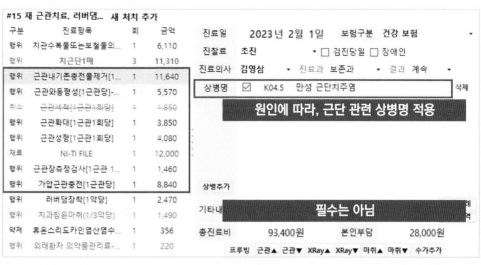

❶ [자주하는 진료]−[제거]−[인레이, Cr제거]를 클릭한다.

❷ [자주하는 진료]−[근관치료]−[Re−endo]를 클릭한다.

❸ 보철물 제거와 근관내 기존 충전물 제거 시에는 각각 100% 청구 가능하다.

❹ 당일에 근관충전까지 시행하기 때문에 근관세척은 삭제되었는지 확인한다.

❺ 상병명은 재근관치료 원인에 맞게 적용해 주면 되지만, **K04.5 만성 근단치주염**을 적용해 주는 것이 적절하다.

Q3

리엔도 버튼을 클릭하니 근관와동형성 항목이 추가되어 나오네요. 근관와동형성은 발수인 경우만 청구 가능한 거죠?

근관와동형성료는 발수한 경우와 근관내 기존 충전물 제거한 경우 두 가지로 분류되어 청구 가능해요. 수가는 같지만 행위코드가 다르니 청구 후 확인이 필요해요.

Q4

소아환자 유치에 단순근충 후 SS−cr 제작하여 부착했어요. 3일 후 아이가 아프다고 내원해서 SS−cr 제거 후 리엔도를 시행했어요. 리엔도이니 근관내 기존 충전물 제거 청구하면 될까요?

근관내 기존 충전물 제거 항목은 G.P cone을 제거한 경우 청구 가능해요. 단순근충 후 비타펙스(임시근충재) 제거 시에는 산정할 수 없고, 근관세척부터 청구하면 돼요.

Date	Region	Treatment & Prognosis
2/15	D	C.C 은니가 아프다고 해요. Dx. 동이 없는 근단주위농양(K04.7) 치근단촬영 I/A 1@, SS−cr remove, Miracle mix remove 근관세척, 근관확대 Ni−Ti file, K−file, paper point 근관장측정(19.5 mm) Caviton filling, rubber dam

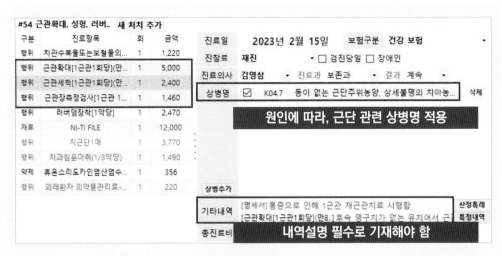

❶ [자주하는 진료]-[제거]-[충전재제거]를 클릭한다.

❷ [자주하는 진료]-[근관치료]-[근관확대]를 클릭한다.

❸ 상병명은 재근관치료 원인에 맞게 적용해 주면 되지만, 근단 관련 상병명을 적용해 주는 것이 적절하다.

❹ 내역설명은 근관내 기존 충전물 제거 없이 근관치료 항목이 청구되는 것이니 반드시 기재를 해주어야 하고, 유치에 근관확대를 시행하니 줄번호단위 내역설명도 함께 기재해 주는 것이 좋다.

4. 외과치료

Deciduous Tooth Extraction

유치발치 [1치당]

유치발치란?
유치를 발치하는 행위입니다.

🔍 산정기준

- 전치와 구치를 구분하지 않는다.
- X-ray 촬영 및 마취 산정 가능하다(전달마취는 하악 유구치만 산정 가능).

진료기록부 예시

Date	Region	Treatment & Prognosis
2/1	A	C.C 치아가 흔들려요. 치아가 나오고 있어요. Dx. 잔존유치(K00.63) X-ray taking Ext I/A lido 1@

 청구화면 예시

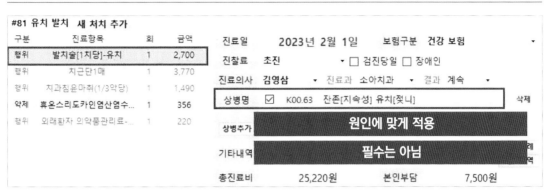

❶ [자주하는 진료]-[발치/외과]-[발치]를 클릭한다.

  * 유치치식 선택 시 유치발치로 적용됨

❷ 상병명은 원인에 따라 적용 가능하며 주로 K00.63 잔존[지속성][탈락성]유치, K00.68 기타 명시된 치아맹출의 장애를 많이 적용한다.

질문있어요!

 Q1

유치의 치관 부위가 부러져서 뿌리를 분리해서 발치했어요. 이런 경우 유치지만 난발치로 산정이 가능할까요?

 후속 영구치 손상의 위험을 방치하기 위해 심부의 유치 잔근치를 제거할 목적으로 치근을 분리해서 발치했다면 유치도 난발치로 산정 가능해요. 치아를 분리할 때 사용한 Bur도 Bur(가) 항목으로 산정 가능해요.

Date	Region	Treatment & Prognosis
2/1	E	X-ray taking Surgical Ext B/A lido 1@ (치아분리, Bur 사용)

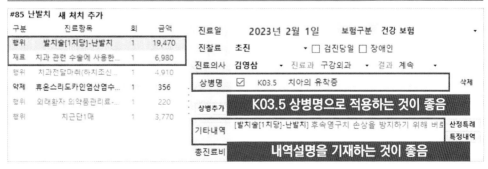

❶ [자주하는 진료]-[발치/외과]-[난발치]를 클릭한다.

❷ 상병명은 원인에 따라 적용 가능하지만, K03.5 상병명을 적용해야 심사 조정을 줄일 수 있다.

❸ 내역설명은 심사 조정을 줄이기 위해 기재하는 것이 좋다.

Q2
25세 후속영구치가 없는 성인입니다. #85 염증으로 인하여 발치 시행했는데 단순발치로 산정해야 하나요?

성인이지만 유치를 발치했다면 유치발치로 산정해야 해요. 이때 마취를 함께 시행했다면 마취도 산정 가능해요.

Q3
이전에 유치발치를 했었는데, 잔존치근이 남아 있었나봐요. 유치 잔존치근을 핀셋을 이용하여 제거하였는데, 유치발치로 산정 가능할까요?

아니요. 이전에 발치를 시행했었기 때문에 발치는 산정할 수 없고, 이런 경우는 보통처치로 산정하는 게 좋을 것 같아요.

Simple Extraction

단순 발치 [1치당]

단순 발치란?

여러 가지 원인(우식, 치주염 등)으로 치아를 단순하게 발치하는 행위입니다.

산정기준

- 전치발치와 구치발치로 구분하여 산정한다.
- X-ray 촬영 및 마취 산정 가능하다.
- 교정치료를 목적으로 시행한 발치는 비급여 대상이므로 산정 불가하다(교정치료 중이라도 매복치, 치관주위염, 치아우식증 등 질병의 상태에서 발치하는 경우 급여 산정 가능).
- 발치 시 실시한 봉합술은 발치료에 포함되므로 별도 산정할 수 없다.
- 발치 후 Dressing 및 S/O 시행하는 경우, 수술 후 처치(단순)으로 산정한다.
- 발치와 치조골성형수술을 동시 시행한 경우 높은 수가 100%, 낮은 수가 50% 산정한다.

진료기록부 예시

Date	Region	Treatment & Prognosis
2/1	7	C.C 오른쪽 아래 어금니가 흔들려요. Dx. 만성 복합치주염(K05.31) X-ray taking Ext B/A lido 2@, Suture (아이리 SK3, 5 cm 사용)

청구화면 예시

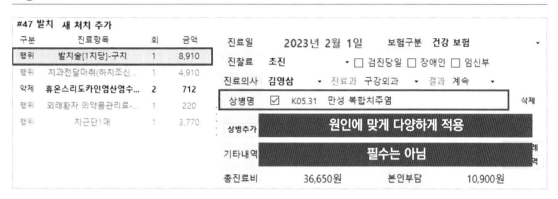

❶ [자주하는 진료] – [발치/외과] – [발치]를 클릭한다.

❷ 상병명은 발치 원인에 맞게 적용해 준다.

　📄 K05.31 만성 복합치주염, K02.2 시멘트질의 우식 등

질문있어요!

Q1
발치 후 봉합사를 이용하여 봉합 진행하였습니다. 봉합사 산정 가능한가요?

 봉합사의 경우 발치 비용에 포함되어 있기 때문에 별도로 산정할 수 없어요. 발치만 산정하면 돼요.

Q2
교정치료 중인 환자분인데, 매복 사랑니가 있어서 발치했습니다. 비급여로 받아야 하나요?

 아니요. 교정치료 중이라도 매복치, 지치 주위염 등으로 발치하는 경우 보험으로 적용해 주면 되고, 또한, 사랑니가 아닌 #16 치아를 우식이 심해 발치하는 경우에도 질환으로 인해 발치하는 것이기 때문에 보험으로 적용해 주면 돼요.

Q3
#14x16 브릿지 상태인데, 브릿지 제거 후 #16 상태가 안 좋아서 발치를 시행하였습니다. 보철물 제거와 발치 각각 청구 가능한가요?

 각각 100% 청구 가능하고, 보철물 제거(복잡) 횟수 3, 발치 횟수 1로 청구하면 돼요. 만약에 브릿지 상태로 발치를 했다면, 이때는 브릿지 제거를 한 것이 아니기 때문에 발치만 청구해야겠죠?

Complicated Extraction

난발치 [1치당]

난발치란?

골유착, 치근만곡, 치근비대 등 여러 가지 이유로 유치나 영구치의 발치 시 치아분리술을 시행하여 발치한 경우 산정합니다.

산정기준

- 일률적으로 X-ray 촬영 없이 산정할 경우 단순 발치로 조정될 수 있다.
- Bur를 사용하여 치아분리를 시행한 경우 Bur(가) 항목으로 별도 산정 가능하다.
- 발치 후 Dressing 및 S/O 시행하는 경우, 수술 후 처치(단순)으로 산정한다.

📋 진료기록부 예시

Date	Region	Treatment & Prognosis
2/1	6	C.C 예전에 신경치료 받은 치아가 너무 아파요. Dx. 동이 없는 근단주위농양(K04.7) / 치아의 강직증(K03.5) X-ray taking, 후상치조신경전달마취 2@ Surgical Ext.(치근분리, Bur 사용) Suture (아이리 SK3, 5 cm 사용)

청구화면 예시

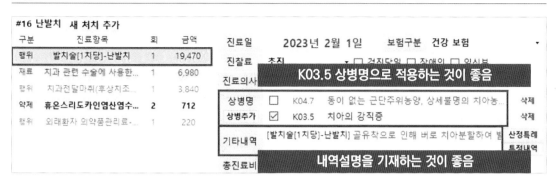

❶ [자주하는 진료]-[발치/외과]-[난발치]를 클릭한다.

❷ 상병명은 K03.5 상병명을 적용해야 심사 조정을 줄일 수 있고, 발치 원인을 추가로 적용해 주면 좋다.

❸ 내역설명은 기재하는 것이 좋다.

> 예 골유착으로 인해 치아 분리 후 발치 시행함.

질문있어요!

Q1
근관치료하는 치아인데 파절로 인하여 발치했어요. 근관치료와 발치 모두 산정 가능한가요?

근관치료를 받는 동안 치아가 파절되어 발치할 경우 내역설명과 함께 발치와 근관치료 모두 청구 가능해요(단, 당일 근관치료와 발치를 함께 진행했다면, 발치만 산정해야 해요).

Date	Region	Treatment & Prognosis
2/1	⌐6	Dx. 비가역적 치수염(K04.01) X-ray taking, 하치조신경전달마취 1@ 근관와동형성, 발수(3근관), 근관장측정검사(MB: 19 mm, DB: 19 mm, D: 19.5 mm), X-ray taking 근관확대, 근관성형, 근관세척, Ni-Ti file, paper point, caviton, rubber dam
2/7	⌐6	C.C 신경치료 받는 치아가 부러졌어요. 치관-치근 수직 파절됨 / 발치 안내함 X-ray taking, Sugical Ext B/A lido 2@ (치아분할, Bur 사용), Suture (아이리 SK3, 5 cm 사용)

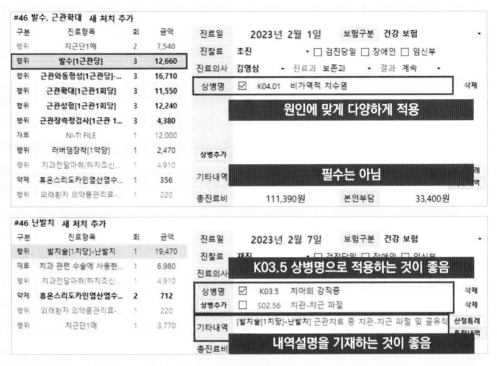

❶ [자주하는 진료] – [발치/외과] – [난발치]를 클릭한다.

❷ 상병명은 K03.5 상병명을 적용해야 심사 조정을 줄일 수 있고, 발치 원인을 추가로 적용해 주면 좋다.

❸ 내역설명은 심사 조정을 줄이기 위해 기재하는 것이 좋다.

Q2
난발치로 발치를 청구하는 경우 치아의 강직증 상병 말고 다른 상병도 사용할 수 있나요?

K00.20 대치증, K00.44 만곡치, K03.5 치아의 강직증 상병 모두 난발치에 적용 가능하지만, 최근에는 K03.5 치아의 강직증 상병명 외에는 심사 조정되는 경향이 있어요.

CHAPTER 04

Impacted Tooth Extraction

매복치 발치 [1치당]

매복치 발치란?
매복되어 있는 치아를 발치하는 행위입니다.

★★ 매복치의 구분

1) 단순매복
피막 또는 점막절개 후
발치

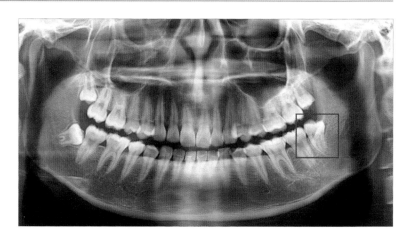

2) 복잡매복
치아분리술을 시행하여
발치

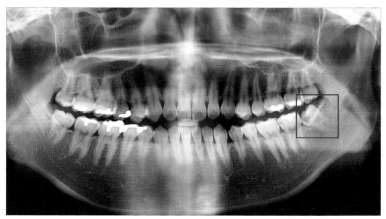

PART 4. 외과처료

3) 완전매복

치관 2/3 이상 치조골 내에 매복되어 치아분리술과 골삭제를 동시 시행하여 발치

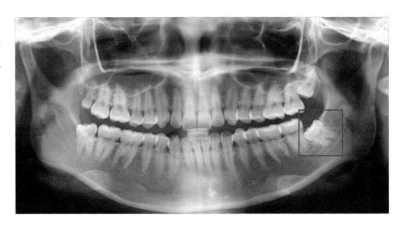

🔍 산정기준

- 치아의 매복 상태를 확인해야 하므로 반드시 X-ray 촬영이 병행되어야 한다(X-ray 촬영이 없는 경우 난발치로 심사 조정될 수 있다).
- Bur를 사용하여 치아분리를 시행한 경우 Bur(가) 항목으로 별도 산정 가능하다.
- 발치 후 Dressing 및 S/O 시행하는 경우, 수술 후 처치(단순)으로 산정한다.

📋 진료기록부 예시

Date	Region	Treatment & Prognosis
2/1	8	C.C 사랑니 뽑고 싶어요. Panorama taking, CT taking(판독소견 별도 기재함) 하치조신경전달마취 2@ 매복치 발치(치관 2/3 이상 치조골내 매복, 치아분리, 골삭제 병행) Bur 사용, Suture (아이리 SK3, 5 cm 사용)

🦷 청구화면 예시

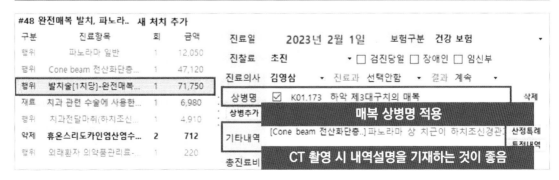

❶ [자주하는 진료] - [발치/외과] - [단순매복/복잡매복/완전매복]을 클릭한다.
❷ 상병명은 매복 상병명으로 적용해 준다.
❸ 발치 시행 시에는 내역설명 기재가 필수는 아니지만, CT를 촬영하는 경우 반드시 내역설명을 기재해준다.

질문있어요!

 Q1
잔존치근이 잇몸 안에 매복되어 있어요. 완전매복치로 발치 가능한가요?

잔존치근이 잇몸 안에 묻혀있어 발치한 경우 단순발치 혹은 난발치로 산정해야 해요. 매복치 발치는 치관이 매복되어 있는 경우 발치 시 청구할 수 있는 항목이고, 원래 치근은 매복되어 있는 거죠?

Q2
매복사랑니를 발치할 때 CT를 찍었어요. 청구 가능한가요?

제3대구치의 경우 치근단, 파노라마 촬영 등에서 하치조신경관 또는 상악동과 치근이 겹쳐 보여 발치의 위험도가 높아 촬영한 경우 청구할 수 있어요. 완전매복발치술만이 아닌 단순매복발치인 경우에도 청구할 수 있으니 내역설명과 함께 청구하면 되고, 판독소견서를 작성하여 비치해야 해요.

Q3
매복사랑니 발치 시 치조골성형수술도 동시에 청구 가능한가요?

아니요. 매복치발치술과 동시에 시행하는 치조골성형수술은 매복치발치술에 포함되어 있는 과정이므로 별도로 산정할 수 없어요.

Q4
1년 전에 찍었던 파노라마를 참고해서 완전매복발치를 했는데, 난발치로 조정됐어요. 어떻게 해야 할까요?

조정된 부분에 있어서는 재심사조정청구를 통해 인정받아야 하고, 앞으로는 매복치 발치 시 이전 X-ray를 참고하여 발치한다면 진찰료는 '재진'으로 산정해야 하고 내역설명도 기재해 주는 게 좋아요.

Q5
매복치 발치 중 치관부위 발치 후 잔존치근을 확인하기 위하여 X-ray를 여러 장 촬영하였습니다. 모두 산정 가능할까요?

잔존치근 부위 확인을 위하여 촬영하는 것이기 때문에 모두 산정 가능하고, 내역설명도 함께 기재해 주는 게 좋아요.

CHAPTER

Supernumeric impacted tooth

과잉치 발치 [1치당]

과잉치 발치란?
정상적인 치아 수보다 많이 난 치아를 발치하는 행위입니다.

🔍 산정기준

- 과잉치는 해당 치식이 없으므로 과잉치가 위치하는 부위의 인접 치식을 선택하고, 발치 난이도에 따라 해당 발치료를 산정한다.

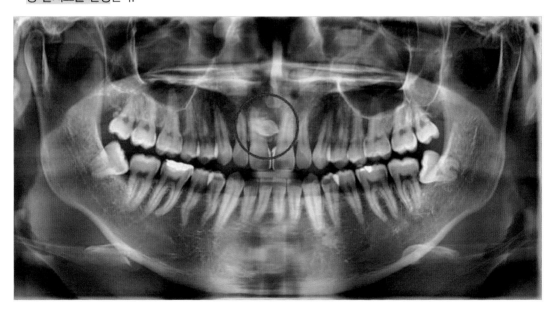

진료기록부 예시

Date	Region	Treatment & Prognosis
2/1	1 | 1	C.C 예전에 과잉치가 있다고 설명 들었어요. 과잉치 발치하고 싶어요. Panorama taking (#11^21 사이 완전매복 과잉치), CT taking(판독소견 별도 기재함) 상고정장치 임프레션
2/3	1 | 1	비구개신경전달마취 2@ #11^21 사이 과잉 매복치 발치(골삭제 시행 Bur 사용) Suture (아이리 SK3, 5 cm 사용) 상고정장치 장착

청구화면 예시

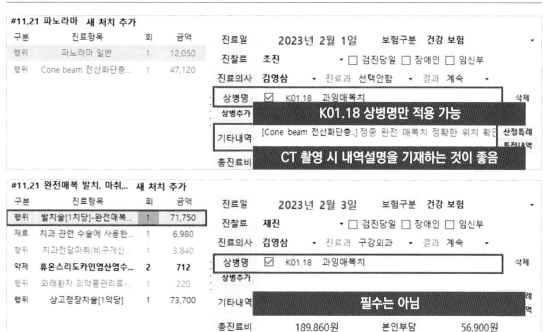

❶ [자주하는 진료] – [발치/외과] – [완전매복]을 클릭한다.

　＊발치 난이도에 따라 해당 발치버튼 선택

❷ 상병명은 발치 원인에 맞게 적용할 수 있지만, 과잉매복치 발치의 경우에는 K01.18 과잉매복치만 적용

　가능하다.

질문있어요!

 Q1
#28 치아와 옆에 과잉치아를 함께 발치했어요. 어떻게 청구해야 하나요?

과잉치의 경우 치식이 별도로 없기 때문에 #28 치식으로 발치와 과잉치 발치 모두 산정하면 돼요. 상병명을 선택할 때는 발치는 발치 상병으로, 과잉치의 경우 과잉치 상병으로 선택하고 내역설명을 필수적으로 기재해야 해요.

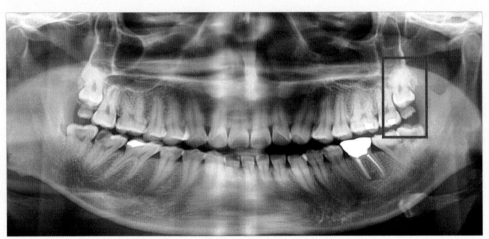

Recurettage of Extraction Socket

발치와재소파술
[1일 1회]

발치와재소파술이란?

발치 후 발치와에 염증이 생긴 경우 내부를 재소파하여 염증을 제거하는 술식입니다.

🔍 산정기준

- 마취하에 시행해야 한다.
- 발치 당일에는 산정 불가하다.
- 유치에는 산정할 수 없다.
- 시술 후 Dressing은 수술 후 처치(단순)으로 산정하고, 통상적으로 2–3회 정도 산정 가능하다.

📋 진료기록부 예시

Date	Region	Treatment & Prognosis
2/1	8 ┼	C.C 지난주에 다른 병원에서 이를 뺐는데, 이를 뺀 자리가 너무 아파요. Dx. Alveolitis (dry socket) X–ray taking Recurettage on extracted socket B/A lido 1@

청구화면 예시

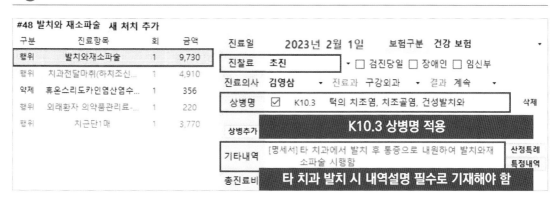

❶ [외과] – [수술 후 처치] – [발치와재소파술]을 클릭한다.

❷ 상병명은 K10.3 턱의 치조염을 적용해야 한다.

❸ 타 치과에서 발치 후 내원 시 반드시 내역설명을 기재해야 한다.

질문있어요!

Q1
타 병원에서 발치 후 통증 호소로 내원했어요. 발치와 내부가 텅 비어있고, 염증도 있어 발치와재소파술 시행했어요. 초진인데 발치와재소파술 산정 가능한가요?

타 병원에서 발치 후 내원한 경우에 초진에 발치와재소파술 산정 가능한데, 이때 꼭 내역설명을 기재해야 해요.

예 타원에서 발치 후 심한 통증으로 내원

Q2
오늘 S/O 하면서 발치와에 염증이 있어 Nu-guaze 삽입했는데 발치와재소파술로 산정 가능한가요?

마취 후 발치와 내부를 소파한 게 아니라 Nu-guaze만 삽입했다면 발치와재소파술로는 산정할 수 없어요. 이런 경우 수술 후 처치(단순)으로 청구해야 해요.

Q3
유치발치 후 통증 호소로 내원했어요. 소독한 경우 발치와재소파술로 산정 가능한가요?

유치발치 후 발치와 부위에 발치와재소파술을 시행할 경우 하방 영구치의 손상을 가져올 수 있기 때문에 발치와재소파술 시술을 거의 하지 않죠. 소독한 경우 수술 후 처치(단순)으로 산정하면 돼요.

07.

Alveoloplasty

치조골성형수술
[1치당]

치조골성형수술이란?

발치 후 잔존치조골이 너무 뾰족하게 형성되는 경우 불편할 수 있으므로, 날카로운 부위를 제거하고 성형하는 수술을 말하며 발치와 동시에 시행하거나, 발치 후 불편감을 호소하는 경우에 시행합니다.

🔍 산정기준

- 1치당으로 산정하며, 무치악의 경우 해당 부위의 치식을 선택한다.
- Bur를 사용한 경우 Bur(가) 항목으로 별도 산정 가능하다.
- 봉합사를 사용한 경우 별도 산정 가능하다.
- 발치와 치조골성형수술을 동시에 시행한 경우 높은 수가 100%, 낮은 수가 50%로 산정한다.

> **발치와 치조골성형수술을 당일 동시에 시행한 경우 산정방법**
> - 전치발치 50% + 치조골성형수술 100%
> - 구치발치 50% + 치조골성형수술 100%
> - 난발치 100% + 치조골성형수술 50%

- 발치 후 일정기간 경과 후 치조골성형수술 시행 시 각각 100% 산정 가능하다.
- 시술 후 Dressing 및 S/O 시행하는 경우, 수술 후 처치(단순)으로 산정한다.

📋 진료기록부 예시

Date	Region		Treatment & Prognosis
2/1	21	12	C.C 앞니가 많이 흔들거려요. Dx. 만성 복합치주염(K05.31) / 불규칙 치조돌기(K08.81) X-ray taking 2매 I/A lido 2@ Simple Ext. & alveoloplasty (Bur 사용) Suture(아이리 SK3, 15 cm 사용)

청구화면 예시

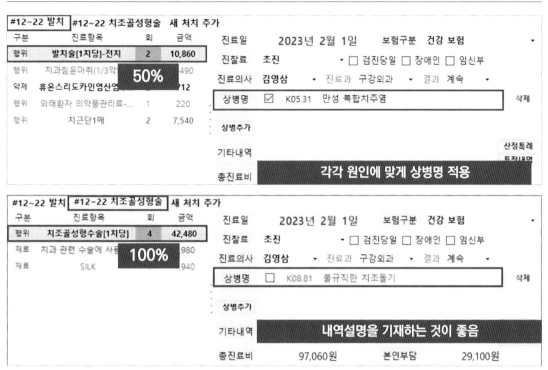

❶ [자주하는 진료] – [발치/외과] – [발치]를 클릭한다.

❷ 새 탭에 [자주하는 진료] – [발치/외과] – [치조골성형술]을 클릭한다.

❸ 단순발치 50%, 치조골성형수술 100% 적용해야 하니, 단순발치 횟수를 '2'로 수정한다.

❹ 상병명은 발치는 발치 원인에 맞는 상병명을 적용하고, 치조골성형수술은 발치와 같은 상병명을 적용해도 되지만, K08.81 불규칙 치조돌기 상병명을 적용해 주는 것이 좀 더 적절하다.

질문있어요!

Q1
#46 발치 후 뼈조각이 튀어나왔다는 주소로 내원하였어요. 마취 후 날카로운 뼈조각을 Bur를 이용해서 다듬어 주었는데 보통처치로 산정해야 하나요?

발치 후 날카로운 뼈조각을 Bur를 이용하여 다듬어 주었다면 치조골성형수술로 산정할 수 있어요. 이때 사용한 Bur의 경우 Bur(가)로 산정 가능하고, 봉합을 했다면 봉합사도 별도로 산정 가능해요.

Q2

임플란트제거술을 시행하면서 울퉁불퉁한 치조골도 함께 다듬고 성형해 주었어요. 치조골성형수술 함께 산정 가능한가요?

임플란트제거술(복잡) 시 치조골성형수술이 병행될 경우 치조골성형수술은 주된 수술의 일련 과정이기 때문에 이때는 임플란트제거술(복잡)만 산정 가능해요.

Q3

원장님께서 #48 완전매복발치를 하고 치조골성형수술도 함께 진행했다고 진료기록부에 기록해 주셨습니다. 완전매복발치와 치조골성형수술도 함께 청구가 가능한가요?

완전매복발치는 치관 2/3 이상이 치조골 내에 매복되어 있어 치아분리술과 골삭제를 동시에 시행한 경우에 산정 가능한데, 술식 안에 골삭제 행위가 포함되어 있죠? 그래서 치조골성형수술은 별도로 산정할 수 없어요.

Q4

완전틀니 제작을 위해 고르지 않은 부위에 치조골성형수술을 진행하였습니다. 치아가 없는 부위인데 치식을 어떻게 선택해야 하나요?

해당 부위의 치식을 선택하면 되는데요, 치조골성형수술의 경우 치아당으로 산정 가능하기 때문에 해당 부위 치식을 모두 선택해 주는 것이 중요해요.

Incision & Drainage

구강내소염수술

구강내소염수술이란?
구강내 고름이나 농양이 생겼을 때 절개를 통해 배농을 시행하는 술식입니다.

🔍 산정기준

가. 치은농양, 치관주위농양 절개 등: **8,680원**

나. 치조농양 또는 구개농양의 절개 등: **9,010원**

다. 설 또는 구강저농양의 절개 등: **21,070원**

라. 악골골염, 악골골수염 등: **20,300원**

- 마취하에 시행해야 한다.
- 다발성 농양으로 당일에 2개소 이상 부위에 구강내소염수술을 동시에 시행한 경우 상하좌우로 구분하여 주된 부위 100%, 그 이외 부위는 50%로 산정하되 최대 200%까지 산정 가능하다.

동시 시행 시 산정

100%	50%	
87654321	12345678	**최대 200%**
87654321	12345678	
산정X	50%	

- 봉합사 산정 가능하다.
- 시술 후 Dressing 및 S/O 시행하는 경우, 수술 후 처치(단순)으로 산정한다.
- 재시행한 경우 기간 상관없이 100% 산정 가능하다.

진료기록부 예시

Date	Region	Treatment & Prognosis
3/2	6	C.C **입천장 쪽으로 뭔가 볼록하게 튀어나왔어요.** Dx. 동이 없는 잇몸기원의 치주농양 X-ray taking B/A lido 1@, Incision & Drainage (구개농양)

청구화면 예시

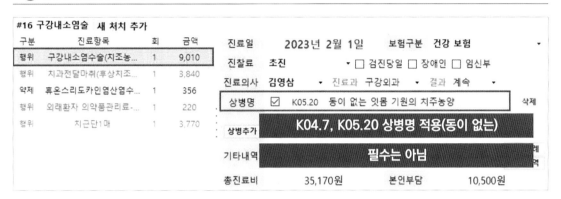

❶ [자주하는 진료] – [발치/외과] – [소염술 – 치조]를 클릭한다.

❷ 잇몸 염증의 원인으로 시행한 경우 K05.20 동이 없는 잇몸 기원의 치주농양, 근단농양의 원인으로 시행한 경우 K04.7 동이 없는 근단주위농양 상병을 적용한다.

질문있어요!

 Q1
절개를 하지 않고 explorer를 이용해서 배농했어요. 구강내소염수술로 청구 가능한가요?

 I&D 즉, 절개 및 배농을 했을 때만 구강내소염수술 청구가 가능한데, 절개를 하지 않고 explorer로 터트려서 배농을 했다면 간단한 연조직 처치에 해당하여 진찰료만 청구해야 돼요.

 Q2
10번대 부위 입천장 쪽과 40번대 치관 부위 쪽 구강내소염수술 시행했어요. 당일 2부위 진행 시 어떻게 산정해야 하나요?

 당일에 동시 시행한 경우 상하좌우를 구분해서 주된 부위 100% 그 외 부위는 50% 산정해야 돼요. 10번대 부위 구강내소염수술(나) 100%(횟수 1) + 40번대 부위 구강내소염수술(가) 50%(횟수 0.5)로 산정하면 돼요.

Q3

일주일 전 구강내소염수술 시행하였는데, 다시 농양으로 잇몸이 부어 구강내소염수술을 재시행하였습니다. 재시행한 경우 진찰료만 산정해야 하나요?

구강내소염수수술은 재시행 기간 상관없이 100% 산정 가능하기 때문에 절개부위에 따라 해당 항목으로 청구해 주면 돼요.

Q4

구강내소염수술 할 때 배액관 고정을 위하여 봉합을 시행하였습니다. 봉합사 청구 가능할까요?

네. 봉합사 청구 가능하고, 이때 재료구입 신고가 완료되었는지 확인해 주세요.

Q5

치근단 부위 농양으로 환자분이 통증을 호소하여 당일 응급근관처치와 I&D를 동시에 시행하였습니다. 어떻게 보험 청구를 해야 할까요?

당일에 동시 시행하였다면 각각 100% 산정 가능해요.

#46 응급근관처치, 마취 새 처치 추가

구분	진료항목	회	금액
행위	응급근관처치[1치당]	1	6,070
행위	치과전달마취(하치조신경...	1	4,910
약제	휴온스리도카인염산염수...	1	356
행위	외래환자 의약품관리료-1...	1	220
행위	구강내소염수술(치은농양...	1	8,680

진료일	2023년 2월 1일	보험구분	건강 보험
진찰료	초진	□ 검진당일 □ 장애인 □ 임신부	
진료의사	김영삼	진료과 보존과	결과 계속
상병명	☑ K04.7 동이 없는 근단주위농양, 치아농양, ...		삭제

상병추가 · **K04.7 상병명 적용**

기타내역 [명세서] 심한 통증으로 구강내소염수술과 응급근관처치 함께 시행 · **산정특례 특정내역**

총진료비 · **내역설명을 기재하는 것이 좋음**

09

Apicoectomy

치근단절제술 [1치당]

치근단절제술이란?

치근단에 염증이나 이상소견이 있으나 근관치료 또는 재근관치료가 어려운 경우 외과적으로 치근단부의 잇몸을 박리하고 치조골을 삭제하여 치근단부의 이상조직 이나 염증을 제거하는 술식입니다. 보통은 염증을 제거하고 치근단부를 역근관충전 하여 막아주어야 합니다. 주로 전치부에서 많이 시행하며, 구치부 쪽은 치조골이 두 껍기 때문에 가능한 경우에만 선택적으로 시행합니다.

산정기준

- 전치, 구치로 구분하여 적용한다.
- X-ray 촬영이 병행되어야 한다.
- 유치는 산정할 수 없다.
- 역근관충전 비용은 별도 산정할 수 없다(행위료에 포함되어 있음).
- Bur를 사용한 경우 Bur(가) 항목으로 별도 산정 가능하다.
- 시술 후 Dressing 및 S/O 시행하는 경우, 수술 후 처치(단순)으로 산정한다.
- 근관충전 또는 당일발수근충과 동시 시행 시 각각 100% 산정 가능하다.
- 치근단절제술과 치근낭적출술 동시 시행 시 높은 수가 100%, 낮은 수가 50%로 산정한다.

진료기록부 예시

Date	Region	Treatment & Prognosis
2/1	1	C.C 오늘 앞니 수술하는 거죠? Dx. 동이 없는 근단주위농양(K04.7) X-ray taking B/A lido 1@ Apicoectomy (MTA, Bur 사용, suture 아이리 SK3, 10 cm 사용)

청구화면 예시

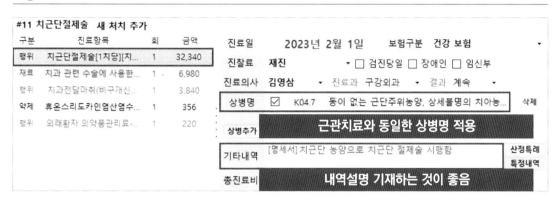

❶ [외과]-[절제술]-[치근단절제술]을 클릭한다.

❷ 상병명은 근관치료와 동일한 상병명을 적용하거나 근단 농양과 관련된 상병명을 적용한다.

❸ 내역설명은 필수는 아니나 자주하는 치료가 아니기 때문에 기재하는 것이 좋다.

질문있어요!

 Q1

당일 근관충전 시행하면서 치근단절제술도 함께 진행하였습니다. 각각 산정 가능한가요?

 근관충전 100%, 치근단절제술 100% 모두 산정 가능해요.

Q2
치근단절제술을 시행하면서 치근단 부위를 MTA를 이용하여 역근관충전하였습니다. 근관충전 행위를 청구할 수 있나요?

치근단절제술 시 역근관충전 비용은 행위료에 포함되어 있으므로 별도로 산정할 수 없어요. 치근단절제술만 산정할 수 있고, 이때 사용한 MTA는 비급여 재료로 등재되어 있고, 비용 고지가 되어 있다면 별도로 비용을 수납하면 돼요.

Q3
치근낭종이 있어서 치근낭적출술을 하며 치근단절제술을 동시에 시행했어요. 어떻게 청구해야 할까요?

치근낭적출술과 치근단절제술 동시 시행 시 높은 수가 100%, 낮은 수가 50% 산정해주시면 되는데요, 치근낭적출술은 크기에 따라 가, 나, 다, 라로 분류가 되어 있고, 그에 따라 수가가 다르기 때문에 시행 후 치근단절제술 수가와 비교하여 적용해 주시면 돼요.

치근낭적출술		
분류	점수	수가(원)
가. 1/2치관 크기 이상	255.44	23,760
나. 1치관 크기 이상	311.71	28,990
다. 2치관 크기 이상	407.66	37,910
라. 3치관 크기 이상	1,436.85	133,630

치근단절제술		
분류	점수	수가(원)
가. 전치	347.73	32,340
나. 구치	473.46	44,030

Operculectomy

치은판절제술 [구강당]

치은판절제술이란?

치아의 맹출을 돕기 위해 맹출 중인 영구치 상방의 치은판을 제거하거나 지치주위염으로 인한 비대한 치은의 절제 또는 치은폴립을 부분절제하는 술식입니다.

🔍 산정기준

- 당일 여러 부위에 시행한 경우라도 구강당으로 산정하여 1회 산정 가능하다.
- 연령에 상관없이 치은조직절제를 다음과 같이 실시한 경우에는 치은판절제술로 산정한다.

치은판절제술로 산정하는 경우

- 오래된 치아우식와동 상방으로 증식된 치은식육 제거
- 파절된 치아 상방으로 증식된 치은식육 제거
- 치아맹출을 위한 개창술
- 부분 맹출 치아 또는 유치의 우식치료를 위한 치은판 제거
- 급성 또는 만성 지치주위염 치아의 치관 상방을 덮고 있는 치은판 제거

- 발치와 치은판절제술을 동시에 시행한 경우는 발치만 인정된다.
- 유치의 치은절제술은 치은판절제술로 산정 가능하다.
- 시술 후 Dressing 및 S/O 시행하는 경우, 수술 후 처치(단순)으로 산정한다.

📋 진료기록부 예시

Date	Region	Treatment & Prognosis
2/1	⊥ 1	C.C 영구치가 안 나와요 Dx. 치아맹출의 기타 명시된 장애(K00.68) X-ray taking I/A lido 1@ Operculectomy

🖱 청구화면 예시

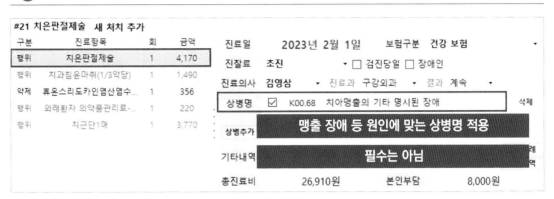

① [자주하는 진료] – [기타] – [치은판절제]/[외과] – [절제술] – [치은판절제술]을 클릭한다.

② 상병명은 원인에 맞게 적용해 준다.

　🔖 K00.68 치아맹출의 기타 명시된 장애, K05.22 급성 치관주위염 등

🎧 질문있어요!

 Q1

교정환자인데요, 교정밴드로 인해 잇몸이 증식되어 잘라냈는데 치은판절제술로 산정 가능한가요?

교정밴드로 인한 치은증식으로 잇몸을 잘라낸 경우 치은판절제술로 산정할 수 없고, 비급여로 산정해야 해요.

 Q2

#11, 21 맹출이 안되어 레이저로 잇몸을 절제했어요. 어떻게 청구해야 할까요?

치아가 맹출되지 않아 레이저로 개창술을 시행했다면, 치은판절제술로 산정하면 돼요. 치은판절제술의 경우 여러 개의 치아에 시행하였더라도 구강당 산정하기 때문에 횟수는 1로 산정하고, 레이저를 이용한 부분에 대해서는 별도로 산정할 수 없어요.

 Q3

#47 교합면에 충치가 있어 치료를 하려고 하는데, 충치치료 전 교합면을 덮고 있는 잇몸을 절제했어요. 치은판절제술로 청구할 수 없나요?

아니요. 치은연상의 우식으로 인해 치은을 절제했다면 치은판절제술로 청구하면 돼요. 참고로 치은연하 우식을 제거하기 위해 치은을 절제했을 때는 치관확장술(가. 치은절제술)로 청구하면 돼요.

Postoperative Dressing

수술 후 처치 [구강당 1회]

수술 후 처치란?

외과적 처치 및 수술 후 Dressing, Stitch out 등의 간단한 처치에 산정합니다.

🔍 산정기준

- 일반적으로 2–3회 정도 인정되며, 난발치 이상의 시술 시 일률적으로 수술 후 처치가 없으면 심사조정 가능성이 있다.
- 타 치과에서 발치 후 내원하여 Dressing이나 Stitch out 시행 시 산정 가능하며, 반드시 내역설명을 기재해야 한다.
- 동일 부위에 수술 후 처치와 치주치료 후 처치를 동시 시행한 경우, 높은 수가만 산정 가능하다.
- 다른 부위에 수술 후 처치와 치주치료 후 처치를 동시 시행한 경우 각각 산정 가능하다.

📋 진료기록부 예시

Date	Region	Treatment & Prognosis
2/1	6	C.C 다른 치과에서 발치했는데 여기서 실을 제거할 수 있을까요? Stitch out, saline dressing

청구화면 예시

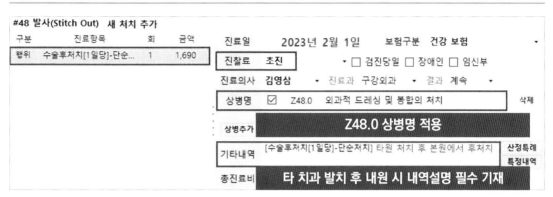

❶ [자주하는 진료]-[발치/외과]-[드레싱 / S/O]을 클릭한다.

❷ 상병명은 외과적 수술을 시행한 원인에 맞게 적용해 주면 되고, 타 치과에서 발치 후 내원 시 Z48.0 외과적 드레싱 및 봉합의 처치를 적용해 준다.

❸ 타 치과 발치 후 내원한 경우 [초진료]와 함께 산정이 되기 때문에 내역설명을 필수적으로 기재해 주어야 한다.

질문있어요!

Q1

발치한 다음 날 계속된 출혈로 환자분이 내원하여 봉합을 시행했어요. 이때도 수술 후 처치로 청구하면 될까요?

계속된 출혈로 인해 지혈을 위해 봉합을 시행했다면 수술 후 처치(라. 후출혈처치)로 청구해 볼 수 있는데요, 심사조정 가능성이 높기 때문에 재심사조정청구도 준비해 주면 좋아요.

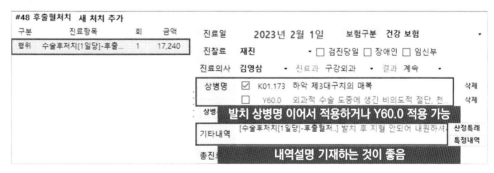

❶ [외과]-[수술후처치]-[후출혈처치]를 클릭한다.

❷ 상병명은 발치 상병명과 동일하게 적용해도 되고, Y60.0 외과적 수술 도중에 생긴 비의도적 절단, 천자, 천공 또는 출혈 상병으로 적용해도 된다.

❸ 내역설명을 기재하는 것이 좋다.

❹ 재심사조정청구를 대비해서 진료기록부 작성을 자세히 해둔다.

12 수술용 Bur

수술용 Bur란?

치과 관련 외과처치 및 수술에 치아삭제와 골삭제 시 사용된 수술용 Bur를 산정 가능한 항목에 대하여 별도 산정합니다.

🔍 산정기준

가. 난발치, 매복치, 치조골성형수술, 치근낭적출술, 치근단절제술, 임플란트제거술(복잡): **6,980원**

나. 골융기절제술 등: **39,980원**

다. 악골내 고정용 금속제거술, 조직유도재생술(골이식을 동반한 경우, 자가골 이식의 경우) 등: **38,070원**

- 1일 1회 산정 가능하다.

📋 진료기록부 예시

Date	Region	Treatment & Prognosis
2/1	8	C.C 사랑니 뽑고 싶어요. Dx. 하악 제3대구치 매복(K01.173) Panorama taking, 하치조신경전달마취 2@ 매복치 발치(치관 2/3 이상 치조골내 매복, 치아분리, 골삭제 병행) Bur 사용, Suture (아이리 SK3, 5 cm 사용)

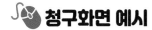

청구화면 예시

#48 완전매복 발치	새 처치 추가		
구분	진료항목	회	금액
행위	파노라마 일반	1	12,050
행위	발치술[1치당]-완전매복...	1	71,750
재료	치과 관련 수술에 사용한...	1	6,980
행위	치과전달마취(하치조신...	1	4,910
약제	휴온스리도카인염산염수...	2	712
행위	외래환자 의약품관리료-...	1	220

진료일   2023년 2월 1일   보험구분 건강 보험

진찰료   초진   □ 검진당일 □ 장애인 □ 임신부

진료의사 김영삼   · 진료과 구강외과 · 결과 계속

상병명 ☑ K01.173 하악 제3대구치의 매복   삭제

상병추가   **발치 원인에 맞는 상병명 적용**

기타내역   **필수는 아님**

총진료비   125,410원   본인부담   37,600원

❶ 해당 발치 항목을 클릭하면 Bur 산정 가능한 경우 묶음으로 청구된다. 청구가 잘 되어 있는지 확인만 하면 된다.

❷ 상병명은 발치 원인에 맞게 적용한다.

질문있어요!

Q1
#18, 48 완전매복발치 시 각각 Bur를 사용했어요. 각각 100% 산정 가능한가요?

치아당 Bur를 각각 사용하였어도 Bur의 경우 치료재료 비용을 1회만 산정해야 해요.

Q2
Bur의 종류는 Surgical bur만 사용해야 하나요?

Bur의 종류는 정해지지 않았기 때문에 어떤 bur를 사용해도 상관없어요. bur의 종류와는 상관없이 진료행위에 따라 (가), (나), (다)로 구분해서 청구하면 돼요.

Q3
난발치 시 bur를 사용하지 않았는데, 어떻게 해야 하나요?

치아 분리 시 bur를 사용하지 않고 elevator만 이용해서 치근 분리 후 발치했다면 난발치는 행위 그대로 청구하되 bur는 청구하면 안 돼요.

5. 치주치료

치주치료 기본원칙

1) 산정단위

❶ 대부분 1/3악당 산정을 기본으로 한다(전악 시행 시 횟수 6).

❶	❷	❸
8 7 6 5 4	3 2 1 1 2 3	4 5 6 7 8
8 7 6 5 4	3 2 1 1 2 3	4 5 6 7 8
❻	❺	❹

❷ 동일 악중에 연결된 1/3악 범위 내에서 인접된 치아 1-2개는 별도로 산정할 수 없다.

	❶	
8 7 6 5 4	3 2 1 1 2 3	4 5 6 7 8
8 7 6 5 4	3 2 1 1 2 3	4 5 6 7 8
	❶	

❸ 산정단위가 1/3악당으로 분류된 치주질환에 1/2악당으로 처치 및 수술을 시행한 경우 소정점수의 150% 산정한다.

1.5		
8 7 6 5 4	3 2 1 1 2 3	4 5 6 7 8
8 7 6 5 4	3 2 1 1 2 3	4 5 6 7 8

2) 단계별로 진행해야 하며, 치주소파술 이상의 진료에서는 반드시 전처치(치석제거, 치근활택술)가 필요하다.

🔲 치석제거 → 치근활택술 → 치주소파술

3) 동일부위에 상위진료와 하위진료를 동시에 시행한 경우 상위진료만 인정된다.

🔲 동일부위 치석제거와 치근활택술 동시 시행 시 치근활택술만 인정

4) 90일 이내 상위진료 후 동일부위 하위진료 시 '치주치료 후 처치'로 산정한다.

5) 야간, 토요일, 공휴일에 치과의원에서 치주수술 진료 시 행위료의 30% 가산된다.

* 치주소파술부터 가산 적용

Tooth Prophylaxis

치면세마 [1/3악당]

치면세마란?

치면에 쌓인 치태나 음식물 잔사를 러버컵 등으로 연마하여 치면을 부드럽게 하는 행위입니다.

 ## 산정기준

- 유치의 경우 치은염의 치료 목적으로 시행한 경우에만 인정한다.
- 간단한 연조직질환 처치의 경우 치면세마로 인정되지 않고 진찰료에 포함된다.
- 교정치료 및 불소도포 시행하기 전의 치면세마는 비급여대상이다.
- 1-2개 치아에 치면세마를 시행한 경우 소정점수의 50%를 산정해야 한다.

진료기록부 예시

Date	Region		Treatment & Prognosis
2/1	CBA	ABC	C.C 아이 잇몸이 부었어요. Dx. 단순 변연부 만성 치은염 치은부종. 치면세마 시행

 **청구화면 예시**

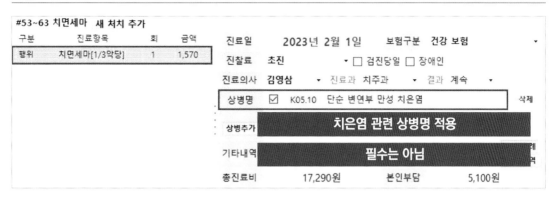

#53~63 치면세마 새 처치 추가			
구분	진료항목	회	금액
행위	치면세마[1/3악당]	1	1,570

진료일　　2023년 2월 1일　　보험구분　건강 보험

진찰료　초진　　　　▼ □ 검진당일 □ 장애인

진료의사　김영삼　　▼ 진료과 치주과　　▼ 결과 계속　　▼

상병명　☑ K05.10 단순 변연부 만성 치은염　　삭제

상병추가　　**치은염 관련 상병명 적용**

기타내역　　**필수는 아님**

총진료비　　17,290원　　본인부담　　5,100원

❶ [치주] – [기타] – [치면세마]를 클릭한다.

❷ 상병명은 치은염 관련 상병명으로 적용해 준다.

 질문있어요!

 Q1
유치의 전악 치면세마를 실시한 경우 횟수는 몇 회인가요?

 1–2개 치아에 치면세마를 시행한 경우 소정점수의 50%를 산정해야 하므로 전악을 시행하였다면 4회로 산정하면 돼요.

0.5	1	0.5
E D	CBA ABC	D E
E D	CBA ABC	D E
0.5	1	0.5

고시 제2022-82호(행위)

항목	제목	세부인정사항
차23 치면세마	차23 치면세마를 1–2개 치아에 시행하는 경우 수가산정방법	1–2개 치아에 치면세마를 시행한 경우 소정점수의 50%를 산정함

시행일 2022년 4월 1일

Q2

불소도포 전 치면세마 진행했어요. 이때 치면세마 산정 가능한가요?

불소도포 시행 전 치면세마는 불소도포 전처치로 행위에 포함된 술식이고, 불소도포는 비급여 진료이기 때문에 별도로 산정하면 안 돼요.

Q3

혼합치열기 소아의 #31, 32, 41, 42 치석제거와 #84, 85 치면세마를 함께 시행했어요. 어떻게 청구해야 하나요?

시술 행위 그대로 해당 부위에 치석제거와 치면세마 각각 산정 가능해요.
#32-42 치석제거 1회, #84, 85 치면세마는 2개의 치아에 시행했으므로 치면세마 0.5회로 산정하면 돼요.

Q4

#32-42 치석제거와 #73, 83 치면세마 시행했어요. 각각 청구 가능한가요?

동일 부위에 치석제거와 치면세마를 동시에 시행한 경우 치면세마는 산정할 수 없고, 치석제거만 청구해야 해요.

Periodontal Pockets Test

치주낭측정검사
[1/3악당]

치주낭측정검사란?

치아를 둘러싸고 있는 잇몸 부분에 존재하는 치주낭을 치주탐침을 이용하여 깊이를 측정하는 행위입니다. 치주낭 측정은 골 소실 및 잇몸건강의 척도가 됩니다.

🔍 산정기준

- 치주낭을 측정하여 진료기록부에 **치아당 최소 2면 이상을 mm 단위로 기록한 경우** 인정된다.
- 1–2개의 치아에 시행한 경우도 100% 산정 가능하다.
- 일반적으로 동일 부위에 동일 상병으로 치주치료가 완료되기 전까지는 **통상적으로 1회 산정**을 원칙으로 한다.

📋 진료기록부 예시

Date	Region	Treatment & Prognosis
2/1	7-4 ┼	C.C 오른쪽 위 잇몸에서 피가 나요. Dx. 만성 단순치주염(K05.30) B/A 2@ Probing (#17, 16 M: 7 D: 7 #15, 14 M: 6 D: 7) Root planning

 청구화면 예시

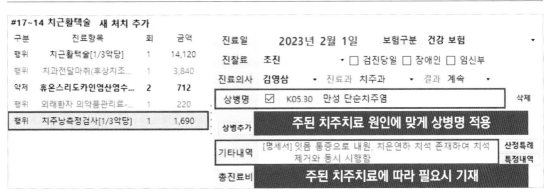

구분	진료항목	회	금액
행위	치근활택술[1/3악당]	1	14,120
행위	치과전달마취(후상치조...	1	3,840
약제	휴온스리도카인염산염수...	2	712
행위	외래환자 의약품관리료-...	1	220
행위	치주낭측정검사[1/3악당]	1	1,690

진료일	2023년 2월 1일 보험구분 건강 보험
진찰료	초진 □ 검진당일 □ 장애인 □ 임신부
진료의사	김영삼 진료과 치주과 결과 계속
상병명	☑ K05.30 만성 단순치주염 삭제
상병추가	주된 치주치료 원인에 맞게 상병명 적용
기타내역	[명세서]잇몸 통증으로 내원, 치은연하 치석 존재하여 치석 제거와 동시 시행함 산정특례 특정내역
총진료비	주된 치주치료에 따라 필요시 기재

❶ [치주]-[기타]-[치주낭측정]을 클릭한다.

❷ 상병명은 주된 치주치료 원인에 맞게 적용해 준다. 주로 치주염 상병명을 많이 적용한다.

❸ 내역설명도 주된 치주치료 시행에 맞춰 필요한 경우 기재해 준다.

질문있어요!

 Q1
지난달에 잇몸치료하면서 치주낭측정검사 시행하였고, 오늘 잇몸 평가를 위해 치주낭측정검 사를 재시행하였어요. 치주낭측정검사 재산정 가능한가요?

 치주낭측정의 경우 동일 부위에 동일 상병으로 치주치료가 완료되기까지는 통상적으로 1회만 산정 가능해요.

 Q2
파노라마 촬영 후 치주낭측정검사만 진행했습니다. 단독으로 산정 가능한가요?

 치주질환 평가를 위해 치주낭측정검사만 진행한 경우에도 단독으로 산정 가능해요.

Scaling

치석제거 [1/3악당]

치석제거란?

핸드 스케일러나 초음파 스케일러 등의 기구로 치은염이나 치주질환의 원인이 되는
치태와 치석을 제거하는 술식입니다.

1) 치석제거 [가. 1/3악당]

🔍 산정기준

- 전악 치석제거는 치주치료가 동반되는 경우에만 산정 가능하며, 1일 전악 시술하는 것을 원칙으로 한다.
  - 전악 치석제거 후에는 치주치료가 이어져야 하기 때문에 내역설명을 기재해야 한다.
    - 예 치주치료 예정, ○월 ○일 치주치료 예정
  - 전악 치석제거 후 환자가 내원하지 않아 치주치료가 이어지지 않는 경우 반드시 내역설명을 기재한다.
    - 예 치주치료 진행을 위해 치석제거 시행하였으나 환자 미내원
  - 전악 치석제거 후 한 부위라도 치주치료가 있을 경우에는 보험 청구 가능하다.
- 부분치석제거는 치주치료 없이도 산정 가능하다.
- 1–2개의 치아만 시행한 경우 50%만 인정한다(전치부: 1–3개, 구치부: 1–2개).

치석제거의 횟수 산정

0.5	0.5	1
876⌐5 4⌐	⌐3 2 1⌐ 1 2 3	⌐4 5 6⌐7 8
8 7 6 5 4	3⌐2 1 1 2⌐3	4 5 6 7 8

1

- 동시 시행 기준
  - 치석제거 + 구강내소염수술: 각각 100% 산정
  - 치석제거 + 교합조정술: 각각 100% 산정
- 시술 후 치주처치는 '치주치료 후 처치(가)'로 산정한다.
- 재시행 기준

3개월 이내	치주치료 후 처치(가) 산정
3개월 초과 – 6개월 이내	치석제거 50% 산정
6개월 초과	치석제거 100% 산정

📋 진료기록부 예시

Date	Region	Treatment & Prognosis
2/28	7 – | – 7 7 – | – 7	C.C 전체적으로 잇몸이 부었어요. 양치할 때 피가 많이 나요. Dx. 만성 단순치주염(K05.30) Panorama taking 1매 전반적인 치주질환으로 치조골 흡수 관찰됨 Scaling (치주치료 예정)

🖱 청구화면 예시

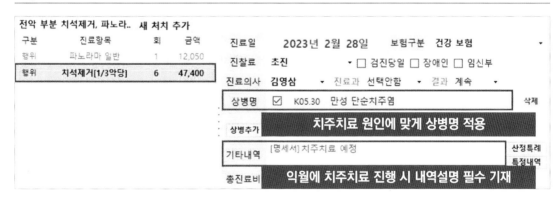

❶ [자주하는 진료] – [치주치료] – [부분치석제거]를 클릭한다.

❷ 상병명은 치주치료가 이어질 경우 단순 치주염 관련 상병명으로 적용해 주는 것이 적절하다.

❸ 치주치료가 익월에 이어질 경우 내역설명을 반드시 기재해 주어야 한다.

2) 치석제거 [나. 전악]

🔍 산정기준

- 후속 치주치료 없이 전악 치석제거만으로 치료가 종결되는 경우 산정 가능하다.
- 만 19세 이상, 1년에 1회 적용한다(연 1회의 기준은 매년 1월부터 12월까지).
- 공단 사전등록 후 시행한다.

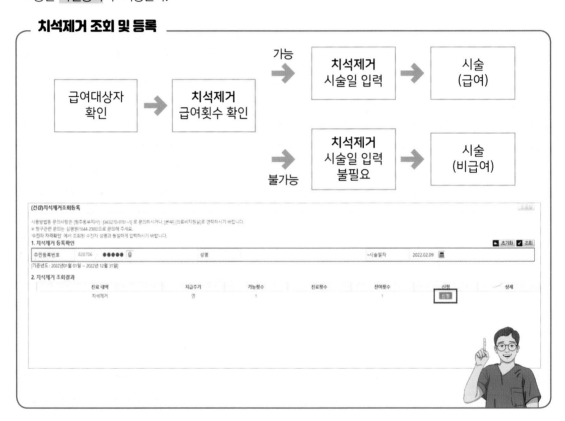

치석제거 조회 및 등록

- 전악 시행 시 횟수 1로 산정한다.
- 치석제거 비교

치석제거(가) [1/3악당]	치석제거(나) [전악]	비급여 치석제거
가. 치주치료가 계획된 환자의 전악 치석제거 나. 치주질환 처치에 실시한 부분치석 제거	만 19세 이상 후속처치 없이 치석제거만으로 치주치료가 종료되는 경우	가. 구취제거, 치아착색물 제거를 위한 경우 나. 치아교정 및 보철을 위한 경우 다. 구강보건증진 차원의 정기적 치석제거

진료기록부 예시

Date	Region	Treatment & Prognosis
2/1	7 - | - 7 7 - | - 7	C.C 잇몸에서 가끔 피가 나요. Dx. 만성 단순 변연부 치은염 연 1회 치석제거(공단 조회 및 등록) 하악 전치부 치석 많음

 ## 청구화면 예시

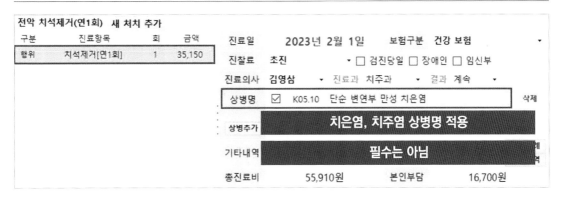

❶ [자주하는 진료] – [치주치료] – [치석제거(연1회)]를 클릭한다.

❷ 상병명은 치은염, 치주염 관련 상병명 모두 적용 가능하다.

 ## 질문있어요!

 Q1

지난주에 연 1회 치석제거하고 갔는데 계획에 없던 치주치료를 들어가게 됐어요. 이럴 때는 어떻게 청구해야 하나요?

연 1회 치석제거의 경우 후속 치주치료 없이 치료가 종결되는 경우에만 산정이 가능하기 때문에 연 1회 치석제거 취소 후 1/3악당 치석제거로 청구해야 돼요. 연 1회 치석제거는 등록 후 당일일 경우 공단 홈페이지에서 바로 취소(삭제)가 가능하지만, 다음 날부터는 취소가 불가능하기 때문에 취소신청서를 작성하여 관할 공단지사에 팩스로 보낸 후 취소 신청이 완료되었는지 확인해보면 돼요.

Q2

의료급여환자 연 1회 치석제거 후 당일 등록을 못했어요. 다음 날 등록하려고 하니 등록이 안돼요. 어떻게 해야 하나요?

의료급여환자의 경우 당일은 등록 가능하지만, 다음 날의 경우 의료급여치석제거 등록 신청서 작성 후 관할 시·군·구청에 팩스로 보낸 후 등록이 완료되었는지 확인해 봐야 해요.

Q3

2월 1일 #33-43 치석제거 시행 후, 4월 25일에 치석제거 재시행했어요. 이때 치석제거 횟수 산정은 어떻게 해야 하나요?

치석제거 재시행 기준에 따라 산정해야 하고, 3개월 이내 재시행했기 때문에 치주치료 후 처치(가)로 산정해야 해요.

Q4

#16, 17 잇몸이 부어서 내원했어요. #16, 17 치근활택술과 전악 치석제거 시행했어요. 어떻게 산정해야 하나요?

동일 부위에 치석제거와 치근활택술을 함께 시행한 경우 상위진료인 치근활택술만 산정할 수 있기 때문에, #14-17 부위에 치근활택술 1회, #13-27, #37-47 치석제거 5회로 청구하면 돼요.

Q5

2월 25일 치주치료 진행을 위해 전악 치석제거 진행 후 3월 4일 #11-17 치주소파술을 진행했어요. 2월에 심사된 내역을 확인해 보니 치석제거가 심사조정되었는데 조정된 이유가 궁금해요.

같은 달에 치주치료가 동반되지 않을 경우 심사조정될 수 있어요. 치석제거 후 치주치료가 다음 달에 진행될 경우 내역설명을 필수로 작성해야 해요.

예) 다음 달 치주치료 예정

Root Planing

치근활택술 [1/3악당]

치근활택술이란?

치근 부위에 침착된 치석이나 세균의 독소, 재침착된 치태 등을 제거하여 새로운 치주조직의 부착을 유도할 수 있도록 치근면을 부드럽게 활택 처리하는 술식입니다.

🔍 산정기준

- 치석제거 없이 산정 가능하나, 일반적으로 치석제거 후 시행하는 것이 바람직하다.
- 1일 전악 시행은 인정되지 않으며, 최대 1악(3회)까지 산정 가능하다.
- X-ray, 마취, 치주낭측정검사 등을 시행하였다면 산정 가능하다.
- 1-2개의 치아에 시행한 경우에도 100% 산정 가능하다.
- 재시행 기준

1개월 이내	치주치료 후 처치(가) 산정
1개월 초과 – 3개월 이내	치근활택술 50% 산정
3개월 초과	치근활택술 100% 산정

📋 진료기록부 예시

Date	Region	Treatment & Prognosis
2/1	7-4 ┼	C.C 오른쪽 위 잇몸에서 피가 나요. Dx. 만성 단순치주염(K05.30) B/A 2@ Probing (#17, 16 M: 7 D: 7 #15, 14 M: 6 D: 7) Root planning

청구화면 예시

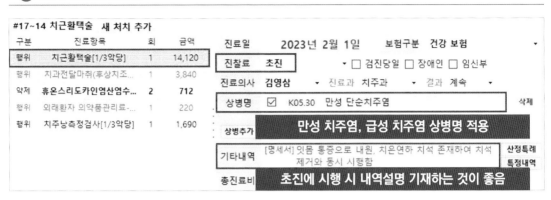

❶ [자주하는 진료]−[치주치료]−[치근활택]을 클릭한다.

❷ 상병명은 만성 치주염, 급성 치주염 관련 상병명 모두 적용 가능하다.

❸ 초진에 시행 시에는 내역설명을 기재하는 것이 좋다.

질문있어요!

Q1
환자분이 출국 예정이라 전악 치근활택술을 시행하였습니다. 내역설명 후 전악산정 가능할까요?

치근활택술의 경우 1일 최대 3회까지만 산정 가능하기 때문에 전악을 시행하였더라도 횟수 3으로 산정해야 해요.

Q2
급성 치주염으로 #16, 17만 치근활택술을 시행하였습니다. 횟수 산정 어떻게 해야 하나요?

치근활택술의 경우 1−2개의 치아에만 시행하였어도 100% 산정 가능해요. 이런 경우 횟수 1로 산정하면 돼요.

Q3
구치부 결손으로 #14−24 치근활택술을 시행하였습니다. 횟수 3으로 산정하면 될까요?

1/3악 범위 내에서 인접된 치아 1−2개는 별도로 산정할 수 없어요. #14, 24 치아는 #13−23 인접해 있기 때문에 이 경우는 치근활택술 횟수 '1'로 산정해야 해요.

05.

Subgingival Curettage

치주소파술 [1/3악당]

치주소파술이란?

치주낭이 있는 치조골까지 큐렛을 도달시켜 치주낭 내면의 치석 또는 염증조직 등을 국소마취하에 제거하여 건강한 치주 결합조직과 치아가 재부착이 일어나도록 하는 술식입니다.

🔍 산정기준

- 반드시 국소마취 후 시행해야 한다.
- 급성 상태에서는 인정되지 않으며, 치석제거나 치근활택술 등의 전처치가 선행되어야 한다.
- 1–2개의 치아에 시행한 경우에도 100% 산정 가능하다.
- 재시행 기준

1개월 이내	치주치료 후 처치(가) 산정
1개월 초과 – 3개월 이내	치주소파술 50% 산정
3개월 초과	치주소파술 100% 산정

📋 진료기록부 예시

Date	Region	Treatment & Prognosis
2/28	7 – | – 7 7 – | – 7	C.C 전체적으로 잇몸이 부어있고 흔들려요. Dx. 만성 복합치주염 Panorama taking 1매 전반적으로 치주질환으로 치조골 흡수 관찰됨 Scaling (치주치료 예정)
3/7	7– 4	B/A 2@ Probing (#47, 46 M: 7 D: 7 #45, 44 M: 6 D: 7) Subgingival Curettage

청구화면 예시

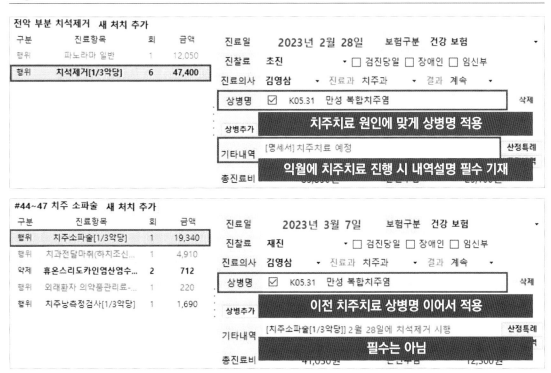

① [자주하는 진료] – [치주치료] – [치주소파]를 클릭한다.

② 상병명은 이전 치주치료 상병명을 이어서 적용하고, 급성 치주염 상병명은 적용할 수 없다.

질문있어요!

Q1
환자분이 통증 호소로 마취 후 치주소파술을 시행하였습니다. 당일 급성상병으로 치주소파술 산정 가능할까요?

치주치료 원칙에서도 말씀드린 것과 같이 치주치료는 상병에 따라 치료방법이 다를 수 있으나 일반적으로 치주치료 초기과정인 치석제거를 실시한 후 치주소파술을 실시하는 등 단계적으로 치료하는 것을 원칙으로 하고 있어요. 반드시 전처치 후에 치주소파술을 시행하여야 하며, 치주질환은 만성적인 질환이기 때문에 급성 상병으로는 치주소파술이 인정되지 않아요. 이런 경우에는 치근활택술로 청구하는 것이 좀 더 바람직하다 할 수 있어요.

Q2

타 진료기관에서 치석제거 후 내원했습니다. 본원에서 치석제거 처치 없이 치주소파술 청구 가능한가요?

타 진료기관에서 치석제거 후 내원한 경우 전처치 없이도 치주소파술 산정 가능하며, 반드시 내역설명을 기재해야 돼요. 예 타원에서 치석제거 후 내원

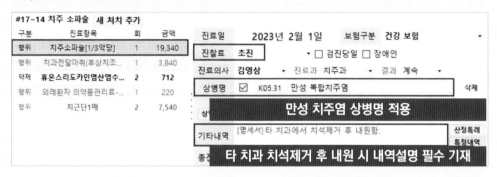

#17~14 치주 소파술 새 처치 추가			
구분	진료항목	회	금액
행위	치주소파술[1/3악당]	1	19,340
행위	치과전달마취(후상치조...	1	3,840
약제	휴온스리도카인염산염수...	2	712
행위	외래환자 의약품관리료-...	1	220
행위	치근단1매	2	7,540

진료일 2023년 2월 1일 보험구분 건강 보험

진찰료 초진 □ 검진당일 □ 장애인

진료의사 김영삼 진료과 치주과 결과 계속

상병명 ☑ K05.31 만성 복합치주염 삭제

만성 치주염 상병명 적용

기타내역 [명세서] 타 치과에서 치석제거 후 내원함. 산정특례 특정내역

타 치과 치석제거 후 내원 시 내역설명 필수 기재

 Q3

치주소파술을 시행했는데 한 달 만에 치석이 생겨서 치석을 제거했습니다. 어떻게 청구해야 하나요?

치주치료는 치료 종결이 불분명하기 때문에 진찰료 산정 기간을 90일로 보죠? 이 기준과 동일하게 90일 이내에는 상위진료 청구 후 하위진료를 청구할 수 없어요. 이 경우 90일 이내이기 때문에 진찰료는 재진으로, 치주소파 후 치석제거를 시행했기 때문에 원칙에 따라 치주치료 후 처치(가)로 청구해야 합니다.

 Q4

2개월 전에 치주소파술을 시행했는데 또 잇몸에 염증이 있어서 치주소파술을 시행했어요. 치주치료 후 처치로 청구해야 하나요?

치주소파술 재산정 기준에 맞춰서 청구해 주면 되는데요. 진찰료는 90일 이내이기 때문에 재진으로 적용하고, 1개월 초과 3개월 이내이기 때문에 치주소파술 50%(횟수 0.5)로 청구하면 돼요.

Periodotal Flap Operation

치은박리소파술
[1/3악당]

치은박리소파술이란?

치조골을 향해 잇몸을 절개하여 치근 부위가 보이도록 노출시킨 상태에서 치석과 감염조직을 제거하고 불규칙하게 파괴된 치조골을 원래의 형태와 비슷하게 형성해 준 후 봉합하는 술식입니다.

 산정기준

가. 간단: 절개 후 치주판막을 박리하여 골결손 부위의 육아조직을 제거하고 치근면의 치석제거 및 치근 활택술을 시행한 경우 산정한다.

나. 복잡: 절개 후 치주판막을 박리하여 골결손 부위의 육아조직을 제거하고 골내낭을 제거하면서 치조 골의 생리적 형태를 만들어 주는 것으로, 골성형이나 골삭제술이 동반된 경우 산정한다.

- 반드시 전처치가 필요하다.
- 마취, 치주낭 측정검사, X-ray, 처방이 동반되어야 한다.
- 봉합사 산정 가능하다.
- 시술 후 Dressing 및 S/O 시행하는 경우, '치주수술 후 처치(나)'로 산정한다.
- 동일 부위에 치은박리소파술과 발치를 동시 시행한 경우, 높은 수가 100%, 낮은 수가 50% 산정한다.
- 동일 부위에 치은박리소파술과 임플란트제거술을 동시 시행한 경우 높은 수가 100%, 낮은 수가 50% 산 정한다.
- 재시행 기준

6개월 이내	치은박리소파술 50% 산정
6개월 초과	치은박리소파술 100% 산정

진료기록부 예시

Date	Region	Treatment & Prognosis
2/28	7 - | - 7 7 - | - 7	C.C 전체적으로 잇몸이 불편해요. 특히 오른쪽 아래 끝 치아는 많이 흔들려요. Dx. 만성 복합치주염 Panorama taking 1매 전반적으로 치주질환으로 치조골 흡수 관찰됨 Scaling (치주치료 예정)
3/7	6- 4	B/A 2@ Probing (#47 M: 9 D: 10, 46 M: 9 D: 9, #45, 44 M: 7 D: 7) Periodontal operation, suture (아이리 SK4, 30 cm)
	7	I/A 1@ Ext

청구화면 예시

전악 부분 치석제거 새 처치 추가

구분	진료항목	회	금액
행위	파노라마 일반	1	12,050
행위	**치석제거[1/3악당]**	**6**	**47,400**

진료일 **2023년 2월 28일** 보험구분 **건강 보험**

진찰료 **초진** □ 검진당일 □ 장애인 □ 임신부

진료의사 **김영삼** 진료과 치주과 결과 계속

상병명 ☑ K05.31 만성 복합치주염 삭제

상병추가 **치주치료 원인에 맞게 상병명 적용**

기타내역 [명세서] 치주치료 예정 산정특례

익월에 치주치료 진행 시 내역설명 필수 기재

총진료비

#44~46 치은박리소파술(간단)... #47 발치 새 처치 추가

구분	진료항목	회	금액
행위	치은박리소파술-간단[1/...	1	58,510
행위	치과전달마취(하치조...		,910
약제	휴온스리도카인염산염...		,068
행위	외래환자 의약품관리료-...	1	220
재료	SILK	1	1,940
행위	치주낭측정검사[1/3악당]	1	1,690

100%

진료일 **2023년 3월 7일** 보험구분 **건강 보험**

진찰료 **재진** □ 검진당일 □ 장애인 □ 임신부

진료의사 **김영삼** 진료과 치주과 결과 계속

상병명 ☑ K05.31 만성 복합치주염 삭제

상병추가 **이전 치주치료 상병명 이어서 적용**

기타내역 [명세서] 치주염으로 치은박리소파술과 함께 #47 발치 시행함 산정특례 특정내역

내역설명 기재하는 것이 좋음

총진료비

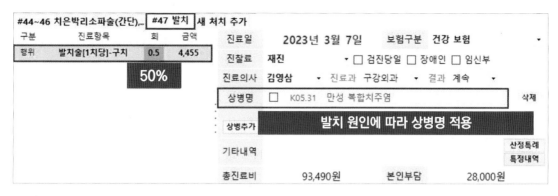

❶ [치주] - [Flap O.P] - [치은박리소파술(간단)/치은박리소파술(복잡)]을 클릭한다.

❷ 새 처치 추가에 [자주하는 진료] - [발치/외과] - [발치]를 클릭한다.

❸ 발치와 동시에 시행하는 경우 높은 수가 100%, 낮은 수가 50%를 적용해 준다.

❹ 상병명은 이전 치주치료 상병명을 이어서 적용하고, 급성 치주염 상병명은 적용할 수 없다.

❺ 내역설명을 기재해 주는 것이 좋다.

질문있어요!

Q1
치은박리소파술 시행하면서 Bur를 이용하여 골삭제와 골성형을 시행했어요. Bur 산정 가능한가요?

치은박리소파술(복잡) 시 Bur를 이용하여 골삭제와 골성형을 시행하였어도 사용한 Bur는 별도로 산정할 수 없어요.

Q2
치은박리소파술을 시행하면서 치조골성형수술도 같이 시행했어요. 어떻게 청구하면 되나요?

치은박리소파술(나. 복잡)인 경우 절개 후 치주판막을 박리하여 골결손 부위의 육아조직을 제거하고 골내낭을 제거하면서 치조골의 생리적 형태를 만들어 주는 것으로, 골성형이나 골삭제술이 동반된 경우 산정한다고 정의되어 있는데요. 여기에 바로 골성형이나 골삭제술이 동반된다고 나와 있죠? 이게 바로 치조골성형수술이 포함된 진료라는 뜻이기 때문에 치조골성형수술은 별도로 청구할 수 없고 이런 경우는 치은박리소파술(나. 복잡)으로 청구하면 돼요. 또한, 치은박리소파술 시행 시에는 bur를 사용하더라도 별도로 청구할 수 없으니 주의해야 해요.

Q3
치은박리소파술 후 한 달 뒤 치석이 생겨 치석제거를 시행했어요. 치석제거로 산정 가능한가요?

 아니요. 치주치료의 기본 원칙에서 90일 이내 상위진료에서 하위진료를 시행할 경우에는 '치주치료 후 처치'로 산정해야 해요.

07. Crown Lengthening

치관확장술 [1치당]

치관확장술이란?

치아우식, 치아파절, 잘못된 치은연하 수복물, 정확한 충전이나 보철을 하기 어려운 경우 치관의 길이를 연장하는 술식입니다.

가. **치은절제술**: 과도한 잇몸조직을 잘라내어 치아의 길이를 확보하는 시술이다.

나. **근단변위판막술**: 잇몸을 절제 후 단단한 잇몸이 부족한 경우에 판막을 형성하여 잇몸량을 증가시키거나 유지시킨다.

다. **근단변위판막술 및 치조골삭제술**: 임상적 치아 길이를 확보하기 위해 부분층 또는 전층 피막을 형성, 치조골을 삭제한다.

산정기준

- 1치당으로 산정한다.
- 전처치 없이 산정 가능하다.
- 봉합사 산정 가능하다.
- 시술 후 Dressing 및 S/O 시행하는 경우, '치주수술 후 처치(나)'로 산정한다.

진료기록부 예시

Date	Region	Treatment & Prognosis
2/1	──┼── 7	(이전 근관치료 진행) B/A 1@ Crown lengthening (gingivectomy) – 치관 길이 연장 목적으로 시행 X-ray taking Prep 후 temporary crown setting

청구화면 예시

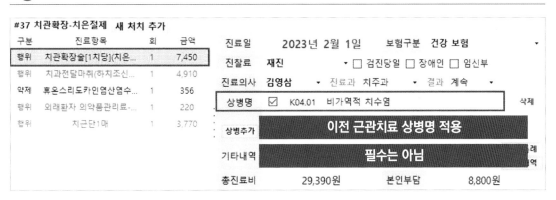

① [자주하는 진료] – [치관확장] – [치은절제 / APF / APF + 골삭제]를 클릭한다.

② 상병명은 이전 근관치료 상병명을 이어서 적용해 준다.

질문있어요!

Q1

근관치료 후 치관확장술 시행할 때 치주상병으로 바꿔서 산정해야 하나요?

치관확장술 시행은 치주질환으로 진행하는 게 아니라 근관치료 후 크라운 시행 시 치관 길이 연장이 필요하여 진행하는 경우가 많기 때문에, 근관치료 상병명 그대로 사용하면 돼요. 치은연하 우식을 제거하기 위해 시행한 경우에는 우식 관련 상병명을 적용해 주면 돼요.

Q2

골삭제를 동반한 치관확장술을 시행하였습니다. Bur 산정 가능한가요?

치관확장술을 할 때, 골삭제에 사용한 Bur는 별도로 산정할 수 없어요.

Q3

골삭제를 동반한 치관확장술을 시행하여서 청구했더니 조정됐어요. 어떻게 해야 하나요?

치관확장술(다)인 경우 심사 시 조정이 높은 항목이에요. 재심사조정청구를 통해서 인정 받아야 하는 경우가 대부분인데 시술 시 구강내를 촬영하여 시술 입증자료를 준비해두 면 좋아요. 주의해야 하는 부분이 대부분 치관확장술은 보철치료 전 단계로 시행하기도 하고 크 라운 인상채득하는 날 진행하는 경우가 많은데요, 치관확장술(다) 시행 후에는 잇몸이 아물고 나 서 인상채득이 필요할 테니 시행 당일 인상채득하는 것은 술식 내용에 맞지 않을 수 있어 피해주 는 게 좋아요.

Gingivectomy

치은절제술 [1/3악당]

치은절제술이란?

치주질환에 의해 치은의 이상 증식이나 비정상적인 치은을 절제하여 치은의 자가 세정능력을 높이고 음식물 잔사의 부착을 방지하며, 염증 발생을 억제하기 위한 시술입니다.

🔍 산정기준

- 반드시 전처치가 필요하다.
- 치주질환으로 인해 증식된 치은을 제거한 경우 산정 가능하다.
- 봉합사 산정 가능하다.
- 시술 후 Dressing 및 S/O 시행하는 경우, '치주수술 후 처치(나)'로 산정한다.
- 치은연하 우식 및 인접치아 우식 제거를 위해 시행하는 경우 치은절제술로 산정 가능했으나, 2022년 4월 1일부로 이 기준은 삭제되었다.
- 재시행 기준(2023. 3. 1 변경)

1개월 이내	치주치료 후 처치(나) 산정
1개월 초과 – 3개월 이내	치은절제술 50% 산정
3개월 초과	치은절제술 100% 산정

📋 진료기록부 예시

Date	Region	Treatment & Prognosis
2/1	3 – ㅣ – 3	C.C 잇몸이 많이 부었어요. Dx. 만성 단순치주염(K05.30) #13–23 Gingival swelling 치주치료 후 치은절제 필요 Panorama taking Root planning

| 2/8 | 3 – | – 3 | I/A lido 1@ |
| | | | Gingivectomy (치주염으로 인한 치은증식, 치은절제 시행) |

🖱 청구화면 예시

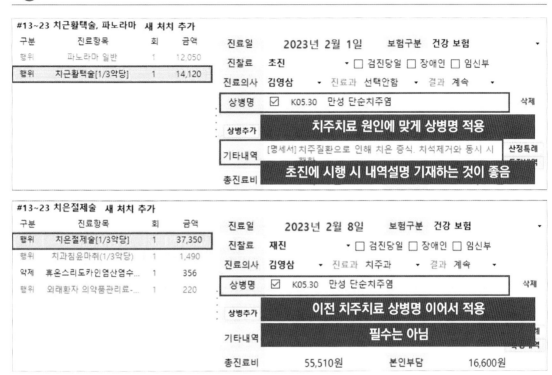

❶ [자주하는 진료] – [기타] – [치은절제]를 클릭한다.

❷ 상병명은 이전 치주치료 상병명을 이어서 적용하며, 우식과 관련된 상병명을 적용해서는 안 된다.

ᴇ K05.11 증식성 만성 치은염, K05.30 만성 단순치주염, K06.18 기타 명시된 치은비대 등

🎧 질문있어요!

Q1
치은연하 우식제거를 위해 치은을 잘라냈어요. 치은절제술로 산정할 수 있나요?

2022년 4월 1일 치은연하 우식 및 인접치아 우식제거를 위해 시행하는 경우 치은절제술로 산정 가능하다는 기준이 삭제되어 치은연상의 우식제거를 위해 증식된 치은을 절제한 경우 치은판절제술로, 인접면 우식제거나 치은연하 우식제거를 위하여 치은을 잘라낸 경우 치관확장술 '가. 치은절제술'로 산정해야 해요.

Q2
치은증식으로 인하여 치은절제술 시행 후 2개월 만에 재시행했어요. 치주치료 후 처치로 산정해야 하나요?

아니요. 2023년 3월 1일부로 치은절제술의 재시행 기준이 변경되었기 때문에 2개월 만에 재시행한 경우에는 50% 산정 가능해서 치은절제술 0.5회로 산정할 수 있어요.

Date	Region		Treatment & Prognosis
2/8	3 -	3 -	(2/1 치근활택술 시행함) I/A lido 1@ Gingivectomy (치주염으로 인한 치은증식, 치은절제 시행)
4/10	3 -	3 -	C.C 잇몸이 또 부었어요. I/A lido 1@ Gingivectomy (치주염으로 인한 치은증식, 치은절제 시행)

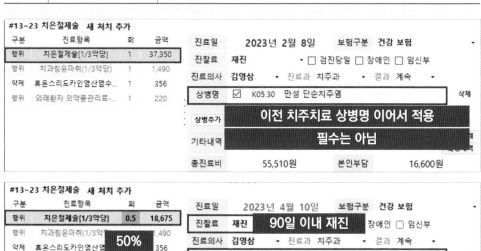

Temporary Splinting

잠간고정술 [1악당]

잠간고정술이란?

치주질환 또는 치아탈구로 치아가 흔들릴 경우 치아 주위조직의 재부착을 도와주고 치아동요도를 감소시키며, 환자의 불편감을 줄여주기 위해 여러 개의 치아를 묶어서 임시적으로 고정시켜주는 술식입니다. 여러 종류의 레진 접착제와 복합레진을 이용하거나, 이와 함께 강선(wire)이나 특수한 밴드를 함께 사용하기도 합니다.

🔍 산정기준

가. 3치 이하

나. 4치 이상

- 1악당 산정한다.
- 3치 이하, 4치 이상으로 구분하여 청구한다.
- 재료는 급여대상인 경우 산정 가능하다(Clearfil resin).
- 탈구치아에 잠간고정술과 교합조정술을 동시 시행한 경우 잠간고정술 100%, 교합조정술 50%로 산정 가능하다.

📋 진료기록부 예시

Date	Region	Treatment & Prognosis
2/1	3 — ┼ — 3	C.C 치아가 많이 흔들려요. 지금은 안 빼고 싶어요. Dx. 만성 복합치주염(K05.31) 발치 권유 드렸으나, 나중에 발치하길 원하심 Panorama taking Wire splint with resin

청구화면 예시

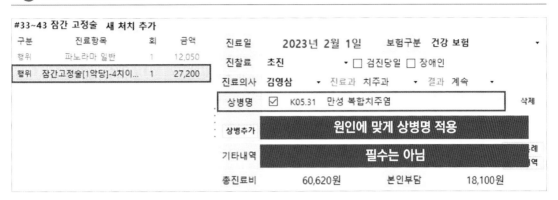

① [치주]–[기타]–[잠간고정술]을 클릭한다.

② 상병명은 원인에 맞게 적용해 준다.

　예) K05.31 만성 복합치주염, S03.2 치아의 탈구

질문있어요!

 Q1
소아환자가 넘어져서 이가 약간 흔들려 와이어 스플린트를 시행했어요. 비급여로 받을 수 있나요?

 치아 탈구나 외상으로 치아가 흔들거려 임시적으로 고정시켜 주는 치료가 바로 잠간고정술이에요. 예전에 이 경우 비급여로 받았던 경우가 많았다고 하던데 임의비급여에 해당하기 때문에 꼭 보험으로 적용해 줘야 해요.

Q2
치아가 흔들려서 잠간고정술 시행하면서 비급여 레진을 이용하여 와이어를 고정했어요. 레진 비용을 비급여로 받을 수 있나요?

비급여 재료로 등재된 Metafil flo 레진을 이용하여 잠간고정술을 시행하였다면 레진 재료비는 비급여로 받을 수 있지만, 그 외 다른 광중합형 레진을 이용했을 경우에는 비급여로 받을 수 없어요.

10

Treatment of Periodontal Disease

치주치료 후 처치
[구강당 1회]

치주치료 후 처치란?

치주치료 후 지혈, 시술 부위 보호 및 종창, 동통의 경감 등을 위해 Dressing, 치주팩 제거, S/O을 시행한 경우 산정합니다.

🔍 산정기준

가. 치석제거, 치근활택술, 치주소파술 후
나. (가) 이외의 경우

- 치아 수와 상관없이 **구강당** 산정한다.
- 구내염, 치은염, 치주염 등으로 치료 전 간단한 Dressing만 시행한 경우 진찰료로 산정한다.
- 동일 부위에 치주치료 후 처치와 수술 후 처치를 동시 시행한 경우, 높은 수가만 산정 가능하다.
  - * 수가 고저: 치주치료 후 처치(가) 〈 수술 후 처치(단순) 〈 치주치료 후 처치(나)
- 다른 부위에 치주치료 후 처치와 수술 후 처치를 동시 시행한 경우 각각 산정 가능하다.

📋 진료기록부 예시

Date	Region	Treatment & Prognosis
2/24	7–4	C.C 한 달 전에 잇몸치료한 곳이 또 부었어요. Dx. (이전 2/1 RP 시행함)만성 복합치주염 Root planning (1달 이내 재시행)

🐭 청구화면 예시

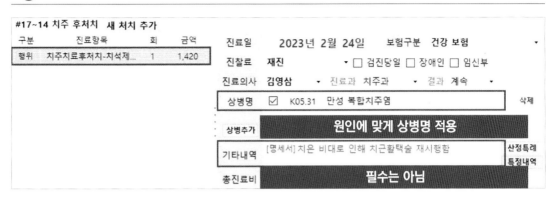

❶ [자주하는 진료] – [치주치료] – [후처치, 2차 SC]를 클릭한다.

❷ 상병명은 이전 치주치료를 시행했던 상병명으로 적용해 주거나, 현재 상태에 맞는 상병명을 적용해 준다.

💬 질문있어요!

Q1

10번대 구치부 치은박리소파술 후 S/O과, #48 발치 후 S/O 시행하였습니다. 각각 산정 가능한가요?

'치주치료후 처치'와 '수술 후 처치'의 경우 동일 부위가 아니라면 각각 100% 산정 가능해요. 또한 같은 악이라도 1/3악에 포함되지 않거나 인접범위 내에 속하지 않는 경우에도 각각 산정 가능합니다.

6. 급여 틀니

Complete Denture

완전틀니

완전틀니란?

만 65세 이상으로 치아가 전혀 없는 즉, 상악 또는 하악 무치악 상태에 사용하는 틀니입니다.

🔍 산정기준

- **대상자:** 만 65세 이상 상악 또는 하악에 치아가 전혀 없는 경우 산정 가능하다.
- **틀니 종류:** 레진상 완전틀니, 금속상 완전틀니
- **권장 재료:** 열중합 의치상용레진, 다중중합레진치아, 코발트크롬 금속류(특수틀니 제외)
- **틀니 단계:** 1-5단계
- **임시틀니:** 완전틀니 제작을 전제로 발치 후 임시틀니 제작이 필요한 경우 산정 가능하다.
- **급여 적용기간:** 7년에 1회 산정 가능하다(단, 구강상태가 심각하게 변화되어 새로운 틀니가 필요하다는 의학적 소견이 있거나 화재 및 수해 등 천재지변으로 인해 틀니가 분실 또는 파손된 경우에 한하여 추가로 1회 급여 가능).

📋 진료기록부 예시

Date	Region	Treatment & Prognosis
2/1	7 − ㅣ − 7 7 − ㅣ − 7	C.C 이 하나 남은 게 빠져서 틀니 새로 하려고요. Dx. 사고, 추출 또는 국한성 치주병에 의한 치아상실(K08.1) 전반적인 상악 무치악 상태를 평가하기 위해 파노라마(디지털) 촬영 금속상 완전틀니(틀니 대상자 조회/등록 시행) 총의치 제작을 위하여 예비인상채득 시행 N) final imp

Date	Region	Treatment & Prognosis
2/6	7 – | – 7 7 – | – 7	제작된 개인트레이를 이용하여 변연형성 **최종인상채득**(폴리설파이드 인상재) N) Wax-rim
2/13	7 – | – 7 7 – | – 7	교합제를 조정하여 교합평면 결정 **악간관계채득** 시행(#A3) N) 인공치 배열 check
2/20	7 – | – 7 7 – | – 7	납의치 시적 N) 완성
2/27	7 – | – 7 7 – | – 7	**총의치 장착**, 의치장착 시 주의사항 설명

🖱 청구화면 예시

1) 건강보험 환자 등록 절차

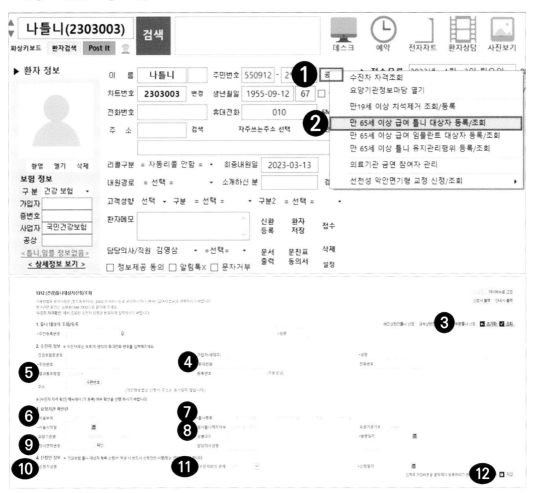

2) 의료급여 환자 등록 절차

승인 확인 후 진행

★★ 완전틀니 청구방법

❶ 완전틀니의 경우 치식은 모든 치아를 선택한다.

❷ [틀니/임플] - [레진상 완전틀니 / 금속상 완전틀니] - [단계]를 클릭한다.

　(단계에 맞게 클릭해 주면 된다)

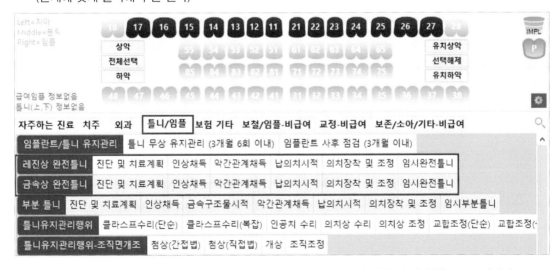

❸ 틀니는 단계별 묶음수가제로 진찰료, 진료행위 등이 포함되어 있어 진찰료는 '없음'으로 표시된다.

❹ 상병명은 K08.1 사고, 추출 또는 국한성 치주병에 의한 치아상실만 적용할 수 있다.

1단계

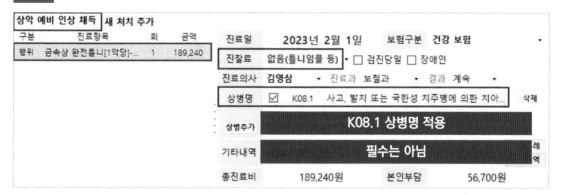

구분	진료항목	회	금액
행위	금속상 완전틀니[1악당]-...	1	189,240

상악 예비 인상 채득 | 새 처치 추가

진료일 **2023년 2월 1일** 보험구분 **건강 보험**

진찰료 **없음(틀니임플 등)** □ 검진당일 □ 장애인

진료의사 **김영삼** 진료과 보철과 결과 계속

상병명 ☑ K08.1 사고, 발치 또는 국한성 치주병에 의한 치아... 삭제

상병추가 **K08.1 상병명 적용**

기타내역 **필수는 아님**

총진료비 **189,240원** 본인부담 **56,700원**

2단계

구분	진료항목	회	금액
행위	금속상 완전틀니[1악당]-...	1	395,910

상악 기능 인상 채득 | 새 처치 추가

진료일 **2023년 2월 6일** 보험구분 **건강 보험**

진찰료 **없음(틀니임플 등)** □ 검진당일 □ 장애인

진료의사 **김영삼** 진료과 보철과 결과 계속

상병명 ☑ K08.1 사고, 발치 또는 국한성 치주병에 의한 치아... 삭제

상병추가

기타내역 산정특례 특정내역

총진료비 **395,910원** 본인부담 **118,700원**

3단계

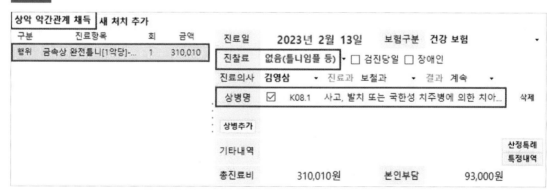

구분	진료항목	회	금액
행위	금속상 완전틀니[1악당]-...	1	310,010

상악 악간관계 채득 | 새 처치 추가

진료일 **2023년 2월 13일** 보험구분 **건강 보험**

진찰료 **없음(틀니임플 등)** □ 검진당일 □ 장애인

진료의사 **김영삼** 진료과 보철과 결과 계속

상병명 ☑ K08.1 사고, 발치 또는 국한성 치주병에 의한 치아... 삭제

상병추가

기타내역 산정특례 특정내역

총진료비 **310,010원** 본인부담 **93,000원**

4단계

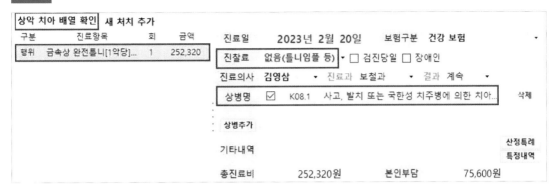

5단계

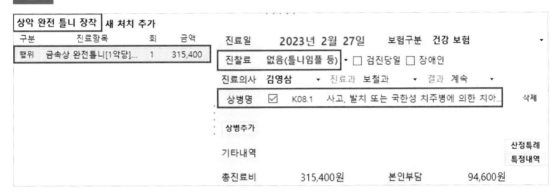

★★ 임시완전틀니 청구 시

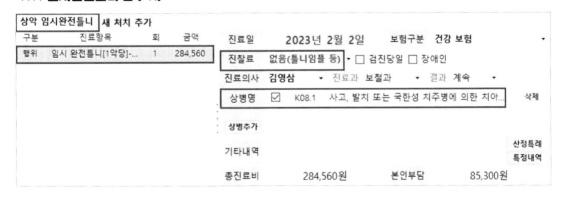

❶ 틀니 사전등록 시 임시틀니 제작 여부에 체크를 해준다.

❷ [틀니/임플]–[레진상 완전틀니 / 금속상 완전틀니]–[임시완전틀니]를 클릭한다.

❸ 틀니는 단계별 묶음수가제로 진찰료, 진료행위 등이 포함되어 있어 진찰료는 '없음'으로 표시된다.

❹ 상병명은 K08.1 사고, 추출 또는 국한성 치주병에 의한 치아상실만 적용할 수 있다.

❺ 틀니유지관리는 산정할 수 없다(진찰료 산정 불가).

❻ 임시틀니만을 목적으로 시행하는 경우는 비급여 대상이다.

질문있어요!

 Q1
완전틀니 제작 시 mesh가 들어간 틀니로 제작을 하는데 이런 경우 레진상 완전틀니로 등록해야 하나요? 금속상 완전 틀니로 등록하나요?

유리섬유 보강재(glass fiber mesh)를 사용하는 경우, 레진상 완전틀니(1악당)의 소정점수를 산정하고 완전틀니의 인정기준을 동일하게 적용하면 돼요.

보건복지부 고시 제2022-137호

항목	제목	세부인정사항
찬1 레진상완전틀니 (1악당)	유리섬유 보강재를 사용한 완전틀니의 수가 산정방법	레진상 완전틀니 제작 시 유리섬유 보강재(glass fiber mesh)를 사용하는 경우, 찬1 레진상 완전틀니(1악당)의 소정점수를 산정하고, '완전틀니(레진상, 금속상) 및 금속상 부분틀니의 인정기준'을 동일하게 적용함

2022년 6월 1일 시행

 Q2
본원에서 2020년 6월에 부분틀니를 했었는데 남아 있는 치아가 흔들려서 모두 발치하고, 완전틀니를 하기로 했습니다. 보험으로 제작할 수 있나요?

네. 보험으로 제작 가능해요. 급여 적용 기간이 7년에 1회이지만 부분틀니 시술 후 잔존 치아를 모두 발치하여 완전틀니로 시술을 해야 하는 경우는 이 기준이 적용되는 것이 아니기 때문에 기간과 상관없이 보험 적용해 주면 돼요.

 Q3
치아 동요가 심해서 남아 있는 치아 모두 발치 후 완전틀니 하기로 하셨어요. 오늘 발치 후 임시완전틀니 인상채득를 시행하였는데, 완전틀니 1단계, 임시완전틀니, 발치 이렇게 청구 후 수납하면 될까요?

아니요. 오늘 발치와 완전틀니 1단계는 산정 가능하나, 임시완전틀니는 장착하는 날 산정할 수 있기 때문에 별도로 산정할 수 없어요. 이때, 완전틀니 산정하는 날 진찰료는 별도로 산정할 수 없기 때문에 발치 입력 시 '진찰료 없음'으로 되어 있는지 확인해 주세요.

상악 예비 인상 채득	#17,16 발치	새 처치 추가		
구분	진료항목	회	금액	
행위	발치술[1치당]-구치	2	17,820	
행위	치과전달마취(후상치조신경블록)	1	3,840	
약제	휴온스아티카인에피네프린주1/1...	1	373	
행위	외래환자 의약품관리료-1일분(치...	1	220	

진료일	2023-03-24 보험구분 건강 보험
진찰료	없음(틀니임플 등) □ 검진당일 □ 장애인
진료의사	김영삼 진료과 구강외과 결과 계
상병명 상병추가	□ K05.31 만성 복합치주염 삭제
기타내역	산정특례 특정내역
총진료비	214,740원 본인부담 64,300원

Q4

완전틀니 등록 시 임시틀니 등록을 하지 못했어요. 다시 등록하려면 어떻게 해야 하나요?

틀니 진행 시 임시틀니를 등록하지 못했다면 변경 신청을 하면 돼요. [건강보험 틀니 대상자 변경/해지/취소 신청서]에 등록내역 기재 후 ②변경에 내용 기재하여 국민건강보험공단 또는 해당 기관(시/군/구청)에 제출(팩스 전송)하면 임시틀니가 등록될 거예요. 등록 확인 후 시술 진행하면 돼요.

[서식2]

건강보험 틀니 대상자 변경/해지/취소 신청서

✤ 뒷면의 유의사항 및 작성방법을 참고하여 작성해 주시기 바랍니다.   (앞면)

①등록내역	등록번호	□ 상악 □ 하악		틀니종류		시술시작일	
	수진자정보	성명			건강보험증번호		
		주민번호			전화번호		
	요양기관정보	요양기관기호		요양기관명		전화	

□ ②변경	변경신청	신청구분	□ 수진자 요청	□ 요양기관 요청	□ 기타
		사유기재			
	변경내용	항목	변경 전	변경 후	
		(변경전후 기재)			

□ 3 해지	해지신청	신청구분	□ 수진자 요청
		사유기재	

※ 시술시작일로부터 7년간 급여가 제한됩니다.

□ 4 취소	취소신청	신청구분	요양기관 요청
		사유기재	
	요양급여비용(공단부담금) 청구 여부		
	□ 청구안함		□ 청구완료

※ 청구완료에 체크한 경우, 건강보험심사평가원에 자진환수 요청 후 환수 완료된 증빙자료를 제출하여 주시기 바랍니다.

위와 같이 건강보험 노인틀니 대상자 변경/해지/취소를(을) 신청합니다.

년   월   일

신청기관 또는 신청인	□요양기관	요양기관명(기호) :	( )	(직인)
		담당의사(면허번호) :	( )	(서명 또는 인)
	□수진자	5 신청인 :		(서명 또는 인)
		수진자와의 관계 ( )	전화번호 ( )	

1. 국민건강보험법 제44조(비용의 일부부담)
2. 국민건강보험법 시행령 제19조(비용의 본인부담), 제81조(민감정보 및 고유식별정보의 처리)

Q5
하악 완전틀니 진행한 환자인데 장착하고 계속 불편감 호소하며 환불을 요구하고 있는 상황입니다. 비용 환불 후 타 병원에서 틀니 제작한다고 하시는데 이럴 때는 어떻게 해야 할까요?

이미 시술이 완료되었기 때문에 이 경우에는 특별한 방법이 없어요. 만약에 틀니 단계가 종료되지 않았다고 하더라도, 이 경우는 환자 요청인 경우이기 때문에 원칙적으로는 '해지'입니다.

이미 틀니 대상자로 등록된 자가 시술 중 해지를 원할 경우, [틀니 대상자 변경/해지/취소 신청서]에 등록사항과 해지 사유를 기재한 후, 국민건강보험공단 또는 해당 기관(시/군/구청)에 신청서 사본을 제출(대상자의 신분증 사본 첨부)하는 경우 대상자 해지 처리가 가능해요. 다만, 해지의 경우 요양기관은 틀니 진행한 부분까지 보험 청구를 할 수 있지만, 환자는 시술등록일로부터 7년간 급여가 제한되기 때문에 타 병원에서 보험틀니를 제작할 수 없어 가급적 환자분하고 원만하게 해결하는 게 좋겠죠? 또, 이런 상황을 대비해서 틀니 시술 전 꼭 동의서를 받는 게 좋아요.

건강보험 틀니 대상자 변경/해지/취소 신청서

※ 뒷면의 유의사항 및 작성방법을 참고하여 작성해 주시기 바랍니다. (앞면)

① 등록내역	등록번호	□ 상악 □ 하악		틀니종류		시술시작일	
	수진자정보	성명		건강보험증번호			
		주민번호		전화번호			
	요양기관정보	요양기관기호		요양기관명		전화	

□ ② 변경	변경신청	신청구분	☑ 수진자 요청	□ 요양기관 요청	□ 기타
		사유기재			
	변경내용	항목	변경 전		변경 후

□ ③ 해지	해지신청	신청구분	□ 수진자 요청		
		사유기재			
	※ 시술시작일로부터 7년간 급여가 제한됩니다.				

□ ④ 취소	취소신청	신청구분	요양기관 요청		
		사유기재			
	요양급여비용(공단부담금) 청구 여부				
	□ 청구안함		□ 청구완료		
	※ 청구완료에 체크한 경우, 건강보험심사평가원에 자진환수 요청 후 환수 완료된 증빙자료를 제출하여 주시기 바랍니다.				

위와 같이 건강보험 노인틀니 대상자 변경/해지/취소를(을) 신청합니다.

년   월   일

신청기관 또는 신청인	□ 요양기관	요양기관명(기호) : ( ) (직인)
		담당의사(면허번호) : ( ) (서명 또는 인)
	□ 수진자	⑤ 신청인 : (서명 또는 인)
		수진자와의 관계 ( ) 전화번호 ( )

PART 6. 급여틀니

Q6

이번 달 초에 완전틀니 등록을 하고 임시틀니까지 진행했는데 임시틀니 사용해 보니 불편해서 임플란트로 하고 싶다고 합니다. 청구는 아직 하지 않았는데 등록 내용을 그냥 놔두고 비급여 임플란트로 치료 시작하면 되나요?

치료계획이 바뀐 경우 등록된 틀니 부분에 대해서는 취소 신청을 해야 해요. 만약 당일 등록 건이라면 요양기관정보마당을 통하여 직접 취소가 가능하지만 등록 당일이 경과한 경우 요양기관이 [틀니 대상자 변경/해지/취소 신청서]에 등록내역 기재 후 ④취소에 내용 기재하여 국민건강보험공단 또는 해당 기관(시/군/구청)에 제출(팩스 전송)하면 취소 처리가 가능해요. 다만 완전틀니 1단계와 임시틀니는 청구할 수 없으며, 임시틀니는 원칙적으로 틀니 제작을 전제로 하는 경우에 한하여 급여로 인정하고 있기 때문에 임시틀니 비용은 비급여로 환자분께 수납해야 하겠죠?

[서식2]

건강보험 틀니 대상자 변경/해지/취소 신청서

※ 뒷면의 유의사항 및 작성방법을 참고하여 작성해 주시기 바랍니다.   (앞면)

① 등록 내역	등록 번호	☐ 상악 ☐ 하악		틀니 종류		시술 시작일	
	수진자 정보	성명		건강보험증번호			
		주민번호		전화번호			
	요양기관 정보	요양기관기호		요양기관명		전화	

☐ ②변경	변경신청	신청구분	☐ **수진자 요청**	☐ **요양기관 요청**	☐ **기타**
		사유기재			
	변경내용	항목	변경 전	변경 후	

| ☐ 3 해지 | 해지신청 | 신청구분 | ☐ 수진자 요청 | |
| | | 사유기재 | | |

※ 시술시작일로부터 7년간 급여가 제한됩니다.

☐ 4 **취소**	취소신청	신청구분	**요양기관 요청**
		사유기재	
	요양급여비용(공단부담금) 청구 여부		
	☐ 청구안함		☐ 청구완료

※ 청구완료에 체크한 경우, 건강보험심사평가원에 자진환수 요청 후 환수 완료된 증빙자료를 제출하여 주시기 바랍니다.

위와 같이 건강보험 노인틀니 대상자 변경/해지/취소를(을) 신청합니다.

년   월   일

신청기관 또는 신청인	☐요양기관	요양기관명(기호) :	( )	(직인)
		담당의사(면허번호) :	( )	(서명 또는 인)
	☐수진자	5 신청인 :		(서명 또는 인)
		수진자와의 관계 ( )	전화번호 ( )	

1. 국민건강보험법 제44조(비용의 일부부담)
2. 국민건강보험법 시행령 제19조(비용의 본인부담), 제81조(민감정보 및 고유식별정보의 처리)

Q7

[틀니 대상자 변경/해지/취소 신청서]는 어디서 다운로드할 수 있나요?

국민건강보험 공단 홈페이지(https://www.nhis.or.kr/nhis/index.do)에 접속 후 서식자료실에서 로그인 없이 다운로드할 수 있습니다.

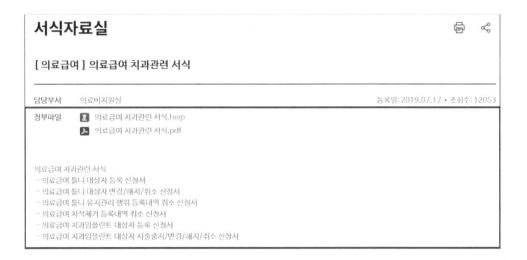

서식자료실

🖨 ⌇

[의료급여] 의료급여 치과관련 서식

담당부서   의료비지원실   등록일: 2019.07.17 · 조회수: 12053

첨부파일   📄 의료급여 치과관련 서식.hwp
         📄 의료급여 치과관련 서식.pdf

의료급여 치과관련 서식
 - 의료급여 틀니 대상자 등록 신청서
 - 의료급여 틀니 대상자 변경/해지/취소 신청서
 - 의료급여 틀니 유지관리 행위 등록내역 취소 신청서
 - 의료급여 치석제거 등록내역 취소 신청서
 - 의료급여 치과임플란트 대상자 등록 신청서
 - 의료급여 치과임플란트 대상자 시술중지/변경/해지/취소 신청서

Q8
건강보험 자격으로 완전틀니를 등록했는데 2단계까지 청구하고, 3단계 진행 후 청구하려고
보니 의료급여로 자격이 변동되었어요. 의료급여 대상자로 틀니 신청 및 등록을 따로 해야
하나요? 그리고 건강보험 자격으로 진행한 1, 2단계는 어떻게 해야 할까요?

건강보험에서 의료급여로 자격변동 시 보장기관에서 연계 등록처리 되기 때문에 건강보험
에서 의료급여, 의료급여에서 건강보험으로 자격이 변동되더라도 별도의 신청 및 등록은 필
요 없어요. 자격변동 정보가 처리되는 시간은 보통 7~10일 정도 소요되는데, 만약 등록 정보가 자동
으로 생성되어 있지 않다면 해당 시/군/구청 의료급여 틀니 담당자에게 연락하면 바로 처리해 주실
거예요. 또한 틀니는 단계별로 청구하기 때문에 보험 청구는 건강보험 자격 당시 진료받은 치료 단계
에 대해서는 건강보험으로, 의료급여 당시 진료받은 치료 단계는 의료급여로 청구하면 돼요.

Q9
의료급여 1종 환자인데요, 틀니 등록을 했는데, 작업처리구분에 '병원등록상태'라고만 떠요.
이미 본뜨고 진행했는데 청구할 때 문제가 없을까요?

등록 후 전송을 하지 않았을 것 같은데요, 의료급여 환자의 경우 등록 후 전송을 해야 보장
기관에서 승인을 해줘요. 보장기관 승인이 있어야지만 틀니 등록번호가 부여되고 청구가 가
능하기 때문에, 지금과 같은 경우나 보장기관 승인이 늦어지는 경우에는 경우 전화로 승인 요청을 하
면 바로 승인해 주기도 해요. 승인이 늦어지더라도 등록 시 시술시작일을 입력하기 때문에 승인만 된
다면 보험 청구 시에는 문제가 없지만 등록 시 반드시 바로 전송까지 해주는 게 좋겠죠?

Partial Denture

부분틀니

부분틀니란?

만 65세 이상으로 상악 또는 하악의 치아의 부분적 결손으로 남은 치아를 이용하여 사용하는 틀니입니다.

🔍 산정기준

- **대상자:** 만 65세 이상 상악 또는 하악의 부분치아 결손으로 남은 치아를 이용하여 부분틀니 제작이 가능한 경우 산정 가능하다.
- **틀니 종류:** 클라스프(고리)유지형 부분틀니
- **권장 재료:** 열중합 의치상용레진, 다중중합레진치아, 코발트크롬 금속류(특수틀니 제외)
- **틀니 단계:** 1–6단계
- **임시틀니:** 부분틀니 제작을 전제로 임시틀니 제작이 필요한 경우 산정 가능하다. 단, 기존틀니 보유자는 제외된다.
- **급여 적용기간:** 7년에 1회 산정 가능하다(단, 구강상태가 심각하게 변화되어 새로운 틀니가 필요하다는 의학적 소견이 있거나 화재 및 수해 등 천재지변으로 인해 틀니가 분실 또는 파손된 경우에 한하여 추가로 1회 급여 가능).

📋 진료기록부 예시

Date	Region		Treatment & Prognosis
5/3	43	34	C.C 틀니 하려구요. Dx. 사고, 추출 또는 국한성 치주병에 의한 치아상실(K08.1) (부분틀니 대상자 조회/등록 시행) #33, 34, 43, 44 지대치로 국소의치 제작을 위해 상담 시행 파노라마(디지털)촬영 Alginate impression for individual tray

Date	Region		Treatment & Prognosis
5/4	43	34	하악의 변연형성과 #33, 34, 43, 44 지대치로 한 최종 인상채득
5/11	43	34	하악 금속구조물 시적 & 최종악간관계채득
5/18	43	34	납의치 시적
5/25	43	34	국소의치 장착. 하악 구치부 설측으로 내면 조정 시행

🖱 청구화면 예시

* 사전에 등록을 먼저 시행한다(p. 211 참고).

★★ 부분틀니 청구방법

❶ 부분틀니의 경우 치식은 잔존 치아를 선택한다.

❷ [틀니/임플] – [부분틀니] – [단계]를 클릭한다.

  (단계에 맞게 클릭해 주면 된다)

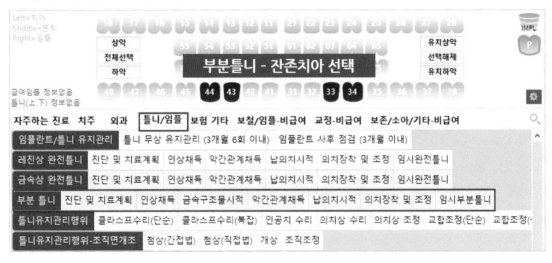

❸ 틀니는 단계별 묶음수가제로 진찰료, 진료행위 등이 포함되어 있어 진찰료는 '없음'으로 표시된다.

❹ 상병명은 K08.1 사고, 추출 또는 국한성 치주병에 의한 치아상실만 적용할 수 있다.

1단계

구분	진료항목	회	금액
행위	부분틀니[1악당]-진단및...	1	188,480

#34,33,43,44 예비 인상 채득 | 새 처치 추가

진료일	2023년 5월 3일	보험구분	건강 보험	▾
진찰료	없음(틀니임플 등) ▾	□ 검진당일 □ 장애인		
진료의사	김영삼 ▾	진료과 보철과 ▾	결과 계속 ▾	
상병명	☑ K08.1 사고, 발치 또는 국한성 치주병에 의한 치아...			삭제

K08.1 상병명 적용

필수는 아님

총진료비	188,480원	본인부담	56,500원

2단계

구분	진료항목	회	금액
행위	부분틀니[1악당]-인상채...	1	212,730

#34,33,43,44 기능 인상 채득 | 새 처치 추가

진료일	2023년 5월 4일	보험구분	건강 보험	▾
진찰료	없음(틀니임플 등) ▾	□ 검진당일 □ 장애인		
진료의사	김영삼 ▾	진료과 보철과 ▾	결과 계속 ▾	
상병명	☑ K08.1 사고, 발치 또는 국한성 치주병에 의한 치아...			삭제
상병추가				
기타내역			산정특례 특정내역	
총진료비	212,730원	본인부담	63,800원	

3 & 4단계 (일반적으로 3단계와 4단계는 동시에 시행하는 경우가 많기 때문에 동시에 청구 가능하다)

구분	진료항목	회	금액
행위	부분틀니[1악당]-금속구...	1	452,790

#34,33,43,44 Framework Try-in **#34,33,43,44 악간관계 채득** 새 처치 추가

진료일	2023년 5월 11일	보험구분	건강 보험	▾
진찰료	없음(틀니임플 등) ▾	□ 검진당일 □ 장애인		
진료의사	김영삼 ▾	진료과 보철과 ▾	결과 계속 ▾	
상병명	☑ K08.1 사고, 발치 또는 국한성 치주병에 의한 치아...			삭제
상병추가				
기타내역			산정특례 특정내역	
총진료비	583,410원	본인부담	175,000원	

구분	진료항목	회	금액
행위	부분틀니[1악당]-악간관...	1	130,620

#34,33,43,44 Framework Try-in **#34,33,43,44 악간관계 채득** 새 처치 추가

진료일	2023년 5월 11일	보험구분	건강 보험	▾
진찰료	없음(틀니임플 등) ▾	□ 검진당일 □ 장애인		
진료의사	김영삼 ▾	진료과 보철과 ▾	결과 계속 ▾	
상병명	□ K08.1 사고, 발치 또는 국한성 치주병에 의한 치아...			삭제
상병추가				
기타내역			산정특례 특정내역	
총진료비	583,410원	본인부담	175,000원	

PART 6. 필요틀니

5단계

#34,33,43,44 치아 배열 확인	새 처치 추가		
구분	진료항목	회	금액
행위	부분틀니[1악당]-납의치…	1	129,240

진료일 2023년 5월 18일 보험구분 건강 보험

진찰료 없음(틀니임플 등) ▾ □ 검진당일 □ 장애인

진료의사 김영삼 ▾ 진료과 보철과 ▾ 결과 계속 ▾

상병명 ☑ K08.1 사고, 발치 또는 국한성 치주병에 의한 치아… 삭제

상병추가

기타내역 산정특례 특정내역

총진료비 129,240원 본인부담 38,700원

6단계

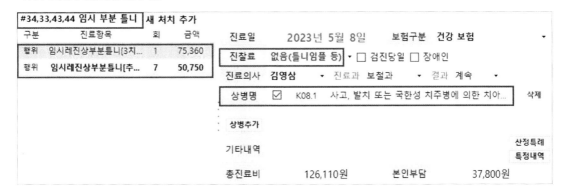

#34,33,43,44 부분 틀니 장착	새 처치 추가		
구분	진료항목	회	금액
행위	부분틀니[1악당]-의치장…	1	421,010

진료일 2023년 5월 25일 보험구분 건강 보험

진찰료 없음(틀니임플 등) ▾ □ 검진당일 □ 장애인

진료의사 김영삼 ▾ 진료과 보철과 ▾ 결과 계속 ▾

상병명 ☑ K08.1 사고, 발치 또는 국한성 치주병에 의한 치아… 삭제

상병추가

기타내역 산정특례 특정내역

총진료비 421,010원 본인부담 126,300원

★★ 임시부분틀니 청구 시

#34,33,43,44 임시 부분 틀니	새 처치 추가		
구분	진료항목	회	금액
행위	임시레진상부분틀니[3치…	1	75,360
행위	임시레진상부분틀니[추…	7	50,750

진료일 2023년 5월 8일 보험구분 건강 보험

진찰료 없음(틀니임플 등) ▾ □ 검진당일 □ 장애인

진료의사 김영삼 ▾ 진료과 보철과 ▾ 결과 계속 ▾

상병명 ☑ K08.1 사고, 발치 또는 국한성 치주병에 의한 치아… 삭제

상병추가

기타내역 산정특례 특정내역

총진료비 126,110원 본인부담 37,800원

❶ 틀니 사전등록 시 임시틀니 제작 여부에 체크를 해준다.

❷ [틀니/임플]-[부분틀니]-[임시부분틀니]를 클릭한다.

❸ 임시부분틀니는 3치를 기준으로 하며, 추가 1치당 별도 산정 가능하다.

❹ 틀니는 단계별 묶음수가제로 진찰료, 진료행위 등이 포함되어 있어 진찰료는 '없음'으로 표시된다.

❺ 상병명은 K08.1 사고, 추출 또는 국한성 치주병에 의한 치아상실만 적용할 수 있다.

❻ 틀니유지관리는 산정할 수 없다(진찰료 산정 불가).

❼ 임시틀니만을 목적으로 시행하는 경우는 비급여 대상이다.

238

질문있어요!

Q1

잇몸 위쪽으로 올라온 치아는 없는데 엑스레이상 치근이 남아 있습니다. 혈액순환제 조절 후 발치 설명했는데 내과 담당의사가 혈액순환제를 끊으시면 안 된다고 하십니다. 치근을 남겨 놓은 상태로 완전틀니 진행하는 게 가능할까요?

치조골 소실 우려로 매복된 잔존치근이나 또는 전신질환 등의 사유로 발치가 어려운 경우 완전 무치악으로 간주하여 완전틀니 산정 가능해요.

Q2

보험틀니를 진행하여 오늘 임시틀니 장착 후 청구하려고 보니 1단계 입력이 되어있지 않았습니다. 오늘은 임시틀니 청구하고 내일 인상채득 시 틀니 1단계 산정하려고 하는데 가능한가요?

틀니는 단계별 산정을 원칙으로 하는데요, 진단 및 치료계획을 해야 임시틀니의 시행 여부가 결정되기 때문에 임시틀니 후 1단계를 산정하는 것은 치료 순서에 맞지 않겠죠? 순차적으로 진행하는 것이 제일 좋기 때문에 시술 시작일에 1단계를 청구하는 것이 제일 좋아요. 혹은 임시틀니 장착일에 1단계와 임시틀니를 같이 청구하는 게 좋을 것 같아요.

Q3

틀니 4단계를 입력하려고 보니 1-3단계가 입력되어 있지 않습니다. 오늘 1-4단계 동시에 청구하는 게 가능할까요?

틀니는 단계별로 진료 종료 시 청구하는데요, 만약 해당일에 1-4단계를 실제로 시행했다고 하면 그대로 청구하면 되지만 진료 입력의 누락으로 한꺼번에 입력하는 거라면 실제 진료를 시행한 날로 입력하는 게 좋아요. 1-3단계를 시행한 월의 보험 청구가 이미 완료됐다면 해당 일자 진료 부분은 누락청구를 진행하면 돼요.

Q4

진단을 위해 파노라마를 촬영하였는데, 잔존치아를 모두 발치하고 완전틀니를 하기로 하였습니다. 이때 잔존치아 진단을 위해 촬영한 파노라마도 청구할 수 없을까요?

틀니 및 임플란트는 단계별 묶음수가 방식으로, 진단을 위해 촬영한 파노라마는 1단계 진단 및 치료계획에 포함되어 별도로 청구하면 안 돼요. 다만, 위와 같은 상황인 경우 발치 후 완전틀니 진단 시 파노라마 촬영이 필요하여 재촬영을 시행했다면, 처음 촬영한 파노라마는 잔존치아 진단을 위한 파노라마로 판단되어 청구해 볼 수 있지만, 심사 시 조정 가능성이 높기 때문에 재심사조정청구를 준비해야 해요.

Q5

#23, 24 치아만 남은 상태로 부분틀니 4단계까지 진행했습니다. 틀니를 진행하는 동안 계속 치아통증을 호소했고 상태가 좋지 않아 남아 있는 치아 발치 후 완전틀니로 진행해야 하는 상황입니다. 부분틀니를 종결하지 않은 상태에서 완전틀니를 진행하려면 부분틀니를 취소해야 할까요? 4단계까지 청구한 부분은 어떻게 해야 하나요?

부분틀니 시술 중 잔존 치아를 모두 발치하여 완전틀니로 시술을 해야 하는 경우, 기존 시술 단계까지는 부분틀니로 청구 가능하기 때문에 4단계까지 청구한 부분은 그대로 두시고, 완전틀니를 등록하여 1단계부터 진행해 주면 돼요. 이때 중요한 건 기존에 진행한 부분틀니 4단계까지의 본인부담금도 꼭 수납이 되어야 하고, 완전틀니 단계에 따른 본인부담금도 꼭 수납해야 해요.

Q6

타 치과 부분틀니가 등록된 환자분이신데요, 그 치과가 마음에 안 든다고 본원에서 이어서 치료받길 원하시는데, 그대로 진행하면 될까요?

아니요. 급여 틀니 및 임플란트는 1단계를 시작하면 타 병원으로 이동이 불가능해요. 기존 치과에서 취소를 해준 경우에만 본원에서 진행할 수 있기 때문에 기존 치과에서 등록 취소가 되어 있는 게 아니라면, 환자분께 충분히 설명드린 후 기존 치과로 가셔서 치료받을 수 있게 해주시는 게 필요할 듯해요.

03 틀니 유지관리

구분	유지관리행위		단위	연회수
의치 조직면 개조	첨상(Relining)	직접법	악당	1
		간접법		
	개상(Rebasing)			
	조직조정(TissueConditioning)			2
의치수리	인공치수리(제1치 100%, 2치부터 50%)		치당	2
	의치상수리			
의치조정	의치상조정		악당	2
	교합조정(단순)		악당	4
	교합조정(복잡)			1
Clasp 파절수리	단순(가공선)		악당	2
	복잡(주조법)			1

- 만 65세 이상 레진상 · 금속상 완전틀니, 클라스프 유지형 부분틀니 장착자(타 병원 제작, 비급여 틀니도 급여 적용)
- 상병명은 **Z46.3 치과보철 장치의 부착 및 조정** 적용
- 시술 전 사전등록 여부를 확인하고 **등록** 후 시행
  - 항목별 연간 급여 횟수를 초과한 경우 전액 본인부담

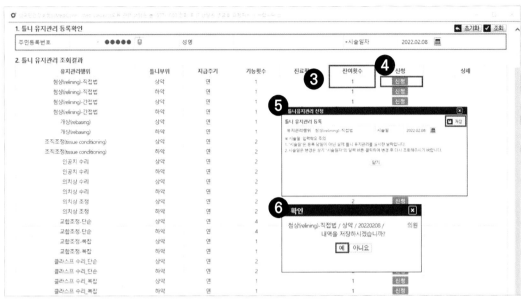

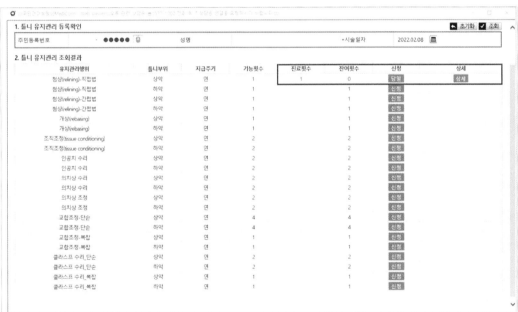

- 유지관리 등록내역 변경
  - 시술행위 착오 등록으로 정정할 경우 신청서와 증빙자료(진료기록부 사본 등) 제출
  - 의료급여인 경우 등록내역 변경 불가능하며, 취소 후 재등록 필요
- 유지관리 등록내역 취소
  - 시술 행위 등록 내역을 취소해야 하는 경우 신청서 제출
  - 당일 입력 건은 프로그램 상에서 직접 취소(삭제) 가능
  - 등록일 이후에는 등록 변경/취소신청서를 작성하여 해당기관에 요청(건강보험은 공단지사, 의료급여 환자는 시/군/구청)
- 3개월 이내 6회 무상 유지관리 횟수 초과 시 유지관리 산정 가능
- 당일 여러 가지 유지관리 행위 시행 시 등록 후 동시 산정 가능(첨상과 개상은 동시 산정 불가)

1. 첨상(Relining)

틀니 내면 부적합이 존재하는 경우 의치 내면에 재료를 첨가해 주는 행위

1) 직접법

다음 요건을 모두 충족하는 경우에 산정 가능하다.

① 의치의 내면 부적합이 존재하는 경우
② 자가중합형 의치상용 레진을 이용하여 진료실에서 의치 내면을 개조한 경우

📋 진료기록부 예시

Date	Region	Treatment & Prognosis
8/7	7 - ┼ - 7	C.C 틀니가 헐거워요. (틀니 유지관리 조회/등록 시행) Dx. 치과보철 장치의 부착 및 조정(Z46.3) Tokuso rebase 레진을 이용하여 구강 내 직접 첨상 시행

🖱️ 청구화면 예시

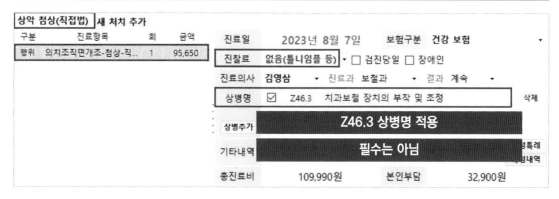

❶ [틀니/임플]-[틀니유지관리행위-조직면 개조]-[첨상(직접법)]을 클릭한다.
❷ 상병명은 Z46.3 치과보철 장치의 부착 및 조정으로 적용한다.

2) 간접법

다음 요건을 모두 충족하는 경우에 산정 가능하다.

① 의치의 내면 부적합과 수직고경 상실이 존재하는 경우

② 기능인상을 채득하여 주모형을 제작하고, 교합기에 장착한 후 의치상용 레진을 적용한 경우

📋 진료기록부 예시

Date	Region	Treatment & Prognosis
8/6	7 – ┼ – 7	C.C 틀니가 헐거워요. (틀니 유지관리 조회 시행) Dx. 치과보철 장치의 부착 및 조정(Z46.3) 하악 무치악 부위 기능인상채득
8/10	7 – ┼ – 7	[틀니 유지관리 조회/등록 시행–첨상(간접법)] Dx. 치과보철 장치의 부착 및 조정(Z46.3) 틀니 장착 및 내면부위 조정

🖱️ 청구화면 예시

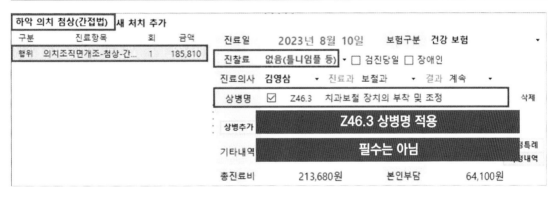

❶ [틀니/임플] – [틀니유지관리행위 – 조직면 개조] – [첨상(간접법)]을 클릭한다.

❷ 상병명은 Z46.3 치과보철 장치의 부착 및 조정으로 적용한다.

💬 질문있어요!

 Q1
 첨상 시행한 날 닿는 부위가 아파서 조정한 경우 의치상 조정 산정할 수 있나요?

 충전 당일 교합조정을 하게 되는 경우 교합조정을 산정할 수 없듯이 첨상 행위에 포함된 비용이므로 첨상 당일에 시행한 의치상 조정은 별도로 산정할 수 없어요.

2. 개상(Rebasing)

다음 요건을 모두 충족하는 경우에 산정 가능하다.

① 의치의 내면 부적합과 수직고경 상실이 존재하며, 의치 변연 및 연마면의 조정이 필요한 경우

② 기능인상을 채득하여 주모형을 제작하고, 교합기에 장착한 후 의치상용 레진을 적용한 경우

📋 진료기록부 예시

Date	Region	Treatment & Prognosis
9/6	7 – | – 7	C.C 예전에는 안 그랬는데 틀니가 잘 빠지고 음식이 많이 고여요. (틀니 유지관리 조회 시행) Dx. 치과보철 장치의 부착 및 조정(Z46.3) 하악 무치악 부위 기능인상채득
9/13	7 – | – 7	(틀니 유지관리 조회/등록 시행–개상) Dx. 치과보철 장치의 부착 및 조정(Z46.3) 틀니 장착 및 내면부위 조정

🖱 청구화면 예시

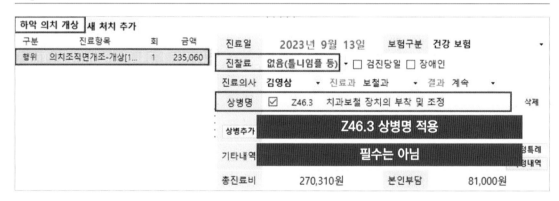

❶ [틀니/임플]–[틀니유지관리행위–조직면 개조]–[개상]을 클릭한다.

❷ 상병명은 Z46.3 치과보철 장치의 부착 및 조정으로 적용한다.

3. 조직조정(Tissue conditioning)

다음과 같은 요건을 모두 충족하는 경우에 한하여 산정 가능하다.

① 의치 하방 연조직의 과도한 압박이나 남용이 관찰이 되거나 잇몸염증이 존재하는 경우

② 의치상 내면에 연질 이장재를 적용하여 일정한 시간이 경과한 후 과량의 연질 이장재를 제거하는 경우

📋 진료기록부 예시

Date	Region	Treatment & Prognosis
9/20	7 -　- 7	C.C 틀니를 쓰고 있는데 잇몸에 염증이 생겨서 씹을 때마다 너무 아파요. Dx. 구내염의 기타 형태(K12.1) 치과보철 장치의 부착 및 조정(Z46.3) Saline dressing, 연고도포 기존에 사용하는 의치 내면에 조직조정제 적용 (틀니 유지관리 조회/등록 시행) 주의사항 – 의치는 식사할 때만 장착하도록

🖱 청구화면 예시

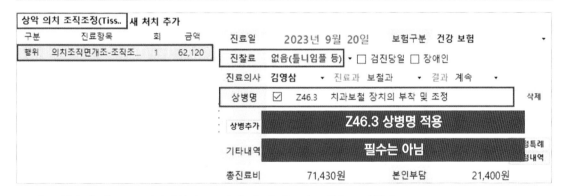

❶ [틀니/임플] – [틀니유지관리행위 – 조직면 개조] – [조직조정]을 클릭한다.

❷ 상병명은 Z46.3 치과보철 장치의 부착 및 조정으로 적용한다.

4. 인공치 수리(Artificial tooth repair)

① 인공치의 마모나 파절 또는 탈락으로 인하여 인공치의 교체나 형태를 복원한 경우 산정 가능하다.

② 자연치의 상실로 새로운 인공치를 부착한 경우 산정 가능하다.

③ 치아당 산정하며, 제1치는 인공치 수리 소정점수의 100%, 제2치부터는 치아 1개당 소정점수의 50%를 산정한다.

📋 진료기록부 예시

Date	Region	Treatment & Prognosis
9/22	3	C.C 틀니를 쓰고 있는데 이 하나가 없어졌어요. #23 인공치 탈락으로 내원(틀니 유지관리 조회 시행) Dx. 치과보철 장치의 부착 및 조정(Z46.3) 상악 인상채득
9/27	3	(틀니 유지관리 조회/등록 시행) 인공치 수리 Dx. 치과보철 장치의 부착 및 조정(Z46.3) 틀니 장착 및 교합 Check, #23 의치상 내면 조정

🖱 청구화면 예시

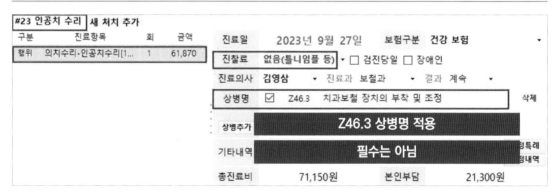

❶ [틀니/임플] – [틀니유지관리행위] – [인공치수리]를 클릭한다.

❷ 상병명은 Z46.3 치과보철 장치의 부착 및 조정으로 적용한다.

5. 의치상 수리(Denture base repair)

① 의치상용레진을 이용하여 부러진 의치를 원래 형태로 수리 복원하는 경우 산정 가능하다.

📋 진료기록부 예시

Date	Region	Treatment & Prognosis
10/2	7-7	C.C 틀니를 닦다가 떨어뜨려서 틀니가 부러져 버렸어요. (틀니 유지관리 조회 시행) Dx. 치과보철 장치의 부착 및 조정(Z46.3) 상/하악 인상채득
10/10	7-7	(틀니 유지관리 조회/등록 시행) 의치상 수리 Dx. 치과보철 장치의 부착 및 조정(Z46.3) 틀니 장착 및 교합 Check

🖱 청구화면 예시

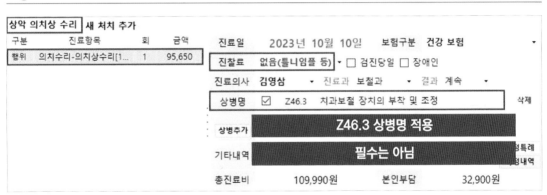

❶ [틀니/임플] – [틀니유지관리행위] – [의치상 수리]를 클릭한다.

❷ 상병명은 Z46.3 치과보철 장치의 부착 및 조정으로 적용한다.

6. 의치상 조정(Denture base adjustment)

다음과 같은 요건을 모두 충족하는 경우에 한하여 산정 가능하다.

① 의치의 사용으로 조직에 궤양이나 불편감이 존재하여 조직면, 연마면 부분의 조정이 필요한 경우

② 압력지시제를 사용하여 과도한 압력부위를 삭제한 후 의치 내면을 조정하는 경우

📋 진료기록부 예시

Date	Region	Treatment & Prognosis
10/17	67	C.C 틀니로 씹을 때마다 아파요. (틀니 유지관리 조회 / 등록 시행) Dx. 치과보철 장치의 부착 및 조정(Z46.3) Fit checker 사용 후 구치부 의치상 내면 조정 시행

🖱 청구화면 예시

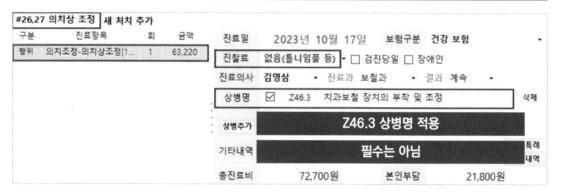

❶ [틀니/임플] – [틀니유지관리행위] – [의치상 조정]을 클릭한다.

❷ 상병명은 Z46.3 치과보철 장치의 부착 및 조정으로 적용한다.

7. 교합조정(Occlusal adjustment)

1) 단순

다음 요건을 모두 충족하는 경우에 한하여 산정 가능하다.

① 의치 착용 후 경미한 교합 오차가 있는 경우

② 구강내에서 직접 교합조정을 시행한 경우

📋 진료기록부 예시

Date	Region	Treatment & Prognosis
10/27	67	C.C 음식 먹을 때 잘 안 씹혀요. [틀니 유지관리 조회 / 등록 시행-교합조정(단순)] Dx. 치과보철 장치의 부착 및 조정(Z46.3) 교합지 사용하여 교합조정

🖱 청구화면 예시

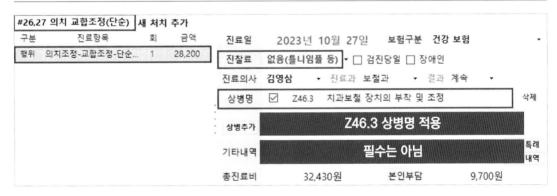

❶ [틀니/임플] – [틀니유지관리행위] – [교합조정(단순)]을 클릭한다.

❷ 상병명은 Z46.3 치과보철 장치의 부착 및 조정으로 적용한다.

2) 복잡

다음 요건을 모두 충족하는 경우에 한하여 산정 가능하다.

① 의치 착용 후 교합 부조화 양상으로 '접촉 후 미끌림(touch and slide)'이 1 mm 이상 존재할 경우
② 의치 장착 상태에서 인상채득 후 의치와 재부착 모형을 교합기에 옮겨 교합조정을 시행한 경우

진료기록부 예시

Date	Region	Treatment & Prognosis
11/1	7 - | - 7	C.C 틀니로 씹을 때마다 소리가 나고 잘 안 씹혀요. 양쪽도 잘 안 맞는거 같고요. (틀니 유지관리 조회 시행) Dx. 치과보철 장치의 부착 및 조정(Z46.3) 상/하악 인상채득
11/3	7 - | - 7	[틀니 유지관리 조회/등록 시행–교합조정(복잡)] Dx. 치과보철 장치의 부착 및 조정(Z46.3) 틀니 장착 및 교합 Check

청구화면 예시

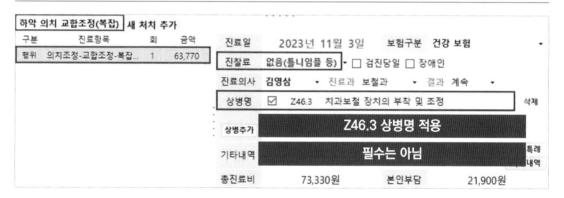

❶ [틀니/임플] – [틀니유지관리행위] – [교합조정(복잡)]을 클릭한다.
❷ 상병명은 Z46.3 치과보철 장치의 부착 및 조정으로 적용한다.

8. 클라스프 수리(Clasp repair)

① 단순: 가공선을 이용하여 파절된 클라스프(clasp)를 수리한 경우 산정 가능하다.

📋 진료기록부 예시

Date	Region	Treatment & Prognosis
11/20	5	C.C 틀니 고리가 부러졌어요. [틀니 유지관리 조회 시행-클라스프수리(단순)] Dx. 치과보철 장치의 부착 및 조정(Z46.3) 와이어 밴딩 후 장착

🖱 청구화면 예시

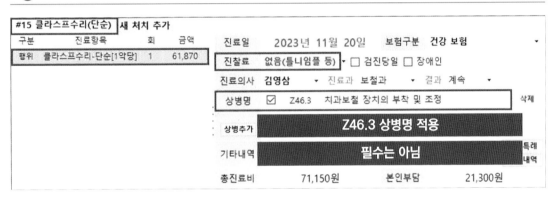

❶ [틀니/임플]-[틀니유지관리행위]-[클라스프수리(단순)]을 클릭한다.

❷ 상병명은 Z46.3 치과보철 장치의 부착 및 조정으로 적용한다.

② 복잡: 주조법으로 파절된 클라스프(clasp)를 제작하여 수리한 경우 산정 가능하다.

진료기록부 예시

Date	Region	Treatment & Prognosis
11/21	5 ┼	C.C 틀니 고리가 부러졌어요. (틀니 유지관리 조회 시행) Dx. 치과보철 장치의 부착 및 조정(Z46.3) 상악 인상채득
11/27	5 ┼	[틀니 유지관리 조회/등록 시행–클라스프수리(복잡)] Dx. 치과보철 장치의 부착 및 조정(Z46.3) 틀니 장착 및 clasp 조절

청구화면 예시

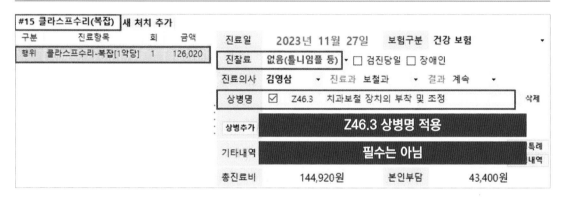

❶ [틀니/임플] – [틀니유지관리행위] – [클라스프수리(복잡)]을 클릭한다.

❷ 상병명은 Z46.3 치과보철 장치의 부착 및 조정으로 적용한다.

질문있어요!

 Q1

틀니가 헐거워서 클라스프를 조여주는 경우 클라스프수리(단순)으로 산정하나요?

 클라스프수리는 클라스프가 파절되어 수리한 경우에만 산정 가능하고, 단순히 클라스프를 조정해 준 경우에는 기본진료만 산정할 수 있어요.

Q 2

무치악인 경우 치아가 없는데 치식은 어떤 걸 클릭해야 할까요?

틀니 유지관리 항목은 인공치 수리를 제외하고 악당으로 산정 가능한데요, 치아 개수와 상관없이 횟수는 1로 산정되므로 치식은 해당부위 클릭 혹은 [상악] 혹은 [하악 전체] 클릭해도 무방해요.

Q3

첨상(직접법)을 시행해서 보험 청구를 했는데, 시행한 날에 틀니 유지관리 신청을 하지 않았더라고요. 어떻게 해야 할까요?

틀니 유지관리를 시행한 경우에는 보험 청구 전 '신청'을 필수로 해야 하고, 신청하지 않은 경우 조정돼요. 건강보험 해당자인 경우 시행했던 날짜로 조회 후 신청하면 되고 의료급여 해당자인 경우 틀니 유지관리 신청서를 작성하여 해당기관(시/군/구청)에 팩스로 보내면 돼요.

Q4

틀니 유지관리를 신청하지 않고 보험 청구해서 조정된 경우 어떻게 해야 할까요?

시행했던 날짜로 신청을 한 후, 재심사조정청구를 하면 인정받을 수 있어요. 재심사조정청구는 심사결과통보서를 받고 90일 이내에 시행해야 하니, 기간에 맞춰서 하는 게 필요해요.

Q5

틀니의 계속적인 자극으로 잇몸이 증식하여 치은 절제 후 조직조정을 시행하였습니다. 2주 후에 조직조정제를 제거하여 첨상(직접법)을 시행하였는데, 모두 청구 가능할까요?

네. 모두 청구 가능해요. 잇몸 절제한 부위와 틀니가 맞닿게 되면 심한 통증을 호소할 수 있기 때문에 이런 경우 연질이장재를 적용해 줄 텐데 이때 조직조정으로 청구 가능하고, 연질이장재 제거 후 잇몸이 아물고 나면 내면에 공간이 생기면서 틀니가 헐거워지게 되는데 이때 첨상(직접법) 시행 후 청구하면 되는 거죠.

Q6

3년 전 타 병원에서 보험틀니를 하셨는데 클래스프가 파절이 되어 본원으로 오셨어요. 본원에서 제작한 틀니가 아닌데 틀니 유지관리 중 클래스프수리 산정이 가능한가요?

틀니 유지관리는 틀니를 제작한 병원이 아니더라도 만 65세 이상 레진상·금속상 완전틀니, 클라스프 유지형 부분틀니 장착자라면 보험으로 적용 가능해요. 환자가 틀니 제작 후 타 지역으로 이사하는 경우 등에도 필요한 시점에 어디서나 편리하게 적절한 유지관리를 받을 수 있도록 하기 위해서죠. 다만, 보험틀니 완료 후 무상 유지관리(3개월 이내 6회까지)는 해당 틀니를 제작한 요양기관에서만 가능하기 때문에 참고해 주세요.

Q7
잔존치아 #35, 47를 이용하여 부분틀니 사용 중인 환자분이 잔존치아 발치 후 완전틀니 예정이에요. 임시틀니는 기존에 사용하던 틀니를 수리해서 틀니 완성할 때까지 사용할 예정인데 같은 달에 인공치 수리 산정 가능한가요?

네, 산정 가능해요. 자연치의 상실, 즉 발치 부위에 새로운 인공치를 부착했다면 인공치 수리로 산정하면 돼요.

Q8
틀니 최종 장착 후 오른쪽 잇몸이 계속 불편하다고 하셔서 무상유지관리 6회 산정했었고, 오늘 7회째 조정해드렸습니다. 틀니를 완성한 지 한 달 정도 되었는데 의치상 조정으로 산정해도 되나요? 아니면 무상으로 해야 할까요?

틀니 무상유지관리는 3개월 이내 6회 산정 가능하며, 3개월 이내라도 6회를 초과한 경우 틀니 유지관리로 등록 후 산정 가능하기 때문에 이 경우에는 의치상 조정을 등록 후 산정하면 돼요.

Q9
임시틀니를 떨어뜨려 금이 갔어요. 임시틀니를 수리해야 하는데 의치상 수리로 산정할 수 있나요?

임시틀니는 틀니 유지관리를 산정할 수 없어요. 임시틀니는 기존 치아의 발치 및 결손 등으로 틀니를 신규 또는 재제작하는 데 장시간이 소요되기 때문에 최종 장착까지 저작 기능 및 사회활동의 어려움이 있어 임시적으로 제작하는 틀니이고, 틀니의 수명연장이나 질 제고를 위하여 수행되는 유지관리 보험적용 대상에는 해당되지 않기 때문에 틀니 유지관리 항목으로 산정할 수는 없어요.

7. 임플란트

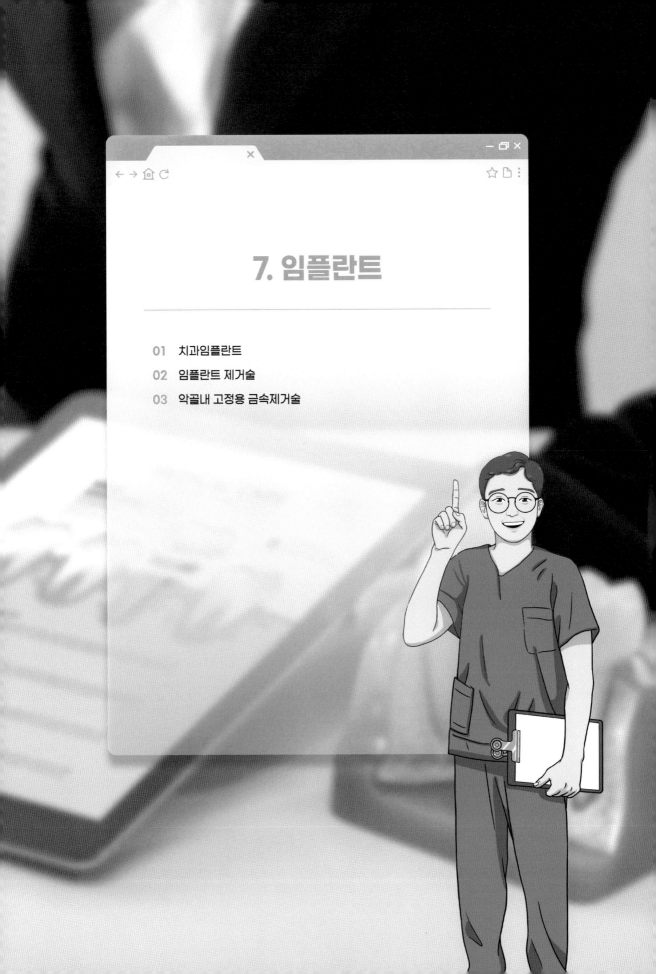

Dental Implant

치과임플란트

치과임플란트란?

만 65세 이상 상악 또는 하악의 무치악 부위에 특수 금속(타이타늄)으로 만들어진 인공치아(임플란트)를 상실된 치아부위의 잇몸 뼈에 식립하고 그 위에 인공치아를 장착하여 수복하는 치료방법입니다.

🔍 산정기준 ①

- **대상자:** 만 65세 이상 건강보험 가입자 또는 피가입자, 상악 또는 하악의 부분 무치악 환자(완전 무치악 환자 제외)에 시행 시 산정 가능하다.
- **급여 개수:** 1인당 평생 2개
- **식립 재료:** 분리형 식립재료(고정체, 지대주)
- **보철 종류:** 비귀금속 도재관(PFM Crown)
- **수가 산정:** 1-3단계
  - 진료 단계별로 진료 종료 시 산정 가능하다.
- **주상병:** K08.1 사고, 추출 또는 국한성 치주병에 의한 치아상실
- 다음과 같은 경우 비급여 산정 (치과임플란트는 급여 산정)
  - 치과임플란트를 위한 부가수술(골이식, 상악동거상술 등)
  - 맞춤형 지대주(custom abutment)
  - 브릿지 형태로 보철물을 제작하는 경우에 인공치(pontic)

진료기록부 예시

Date	Region	Treatment & Prognosis
4/17	67	C.C 이가 빠진 지 오래되어서 해 넣어야 할 것 같아요. Dx. 사고, 추출 또는 국한성 치주병에 의한 치아상실(K08.1) 파노라마 촬영(디지털) 1매 *판독소견 #36, 37 치아상실 하치조신경관과의 거리 13 mm 이상 가용 치조골 존재함 임플란트 대상자 등록, 신청서 작성 B/A lidocaine 1 ample 임플란트 1차 수술 시행 Osstem TS III SA 4.0×10 mm, Suture (아이리 SK4, 30 cm 사용) 수술 후 주의사항 설명
4/24	67	Stitch out & Dressing
5/17	67	1달 panorama check 판독소견 이상 없음
6/21	67	I/A lidocaine 1 ample 임플란트 2차 수술 시행, Suture (아이리 SK4, 30 cm 사용)
6/28	67	Stitch out
7/5	67	임플란트 지대주 연결 시행(25 N으로 tightening) Osstem TS transfer abutment (4.5×7 mm) 최종인상채득 시행
7/12	67	임플란트 보철물 #36, 37 PFM bridge 최종접착(Vitremer)

🖱 청구화면 예시

* 사전에 등록을 먼저 시행한다.

1) 건강보험 환자 등록 절차

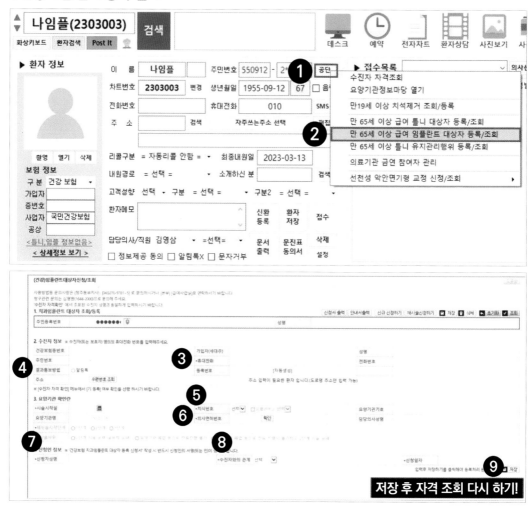

2) 의료급여 환자 등록 절차

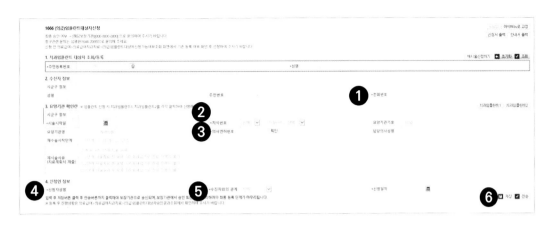

- 치과임플란트 시술중지
  - 2단계 시술 실패(골유착 실패)가 된 경우 등록된 요양기관에서 시술중지 신청 가능
  - 3단계 시술 후에는 시술중지 신청 불가
- 치과임플란트 변경
  - 기등록된 내용을 정정해야 하는 경우(시술 시작일, 의사 면허번호)
  - 환자의 개인정보 변경 시
- 치과임플란트 취소
  - 치식 착오 입력한 경우(취소 후 재등록)
  - 심평원에 청구내역이 있는 경우 심평원에 환수 요청, 환수결과 확인 후 취소신청서와 환수내역
    첨부하여 제출
- 치과임플란트 해지
  - 임플란트 등록 후 등록된 환자가 치료중단을 요구하는 경우(평생 인정 개수에 포함)

★★ 임플란트 청구방법

❶ [틀니/임플] – [임플란트 시술] – [단계]를 클릭한다.

(단계에 맞게 클릭해 주면 된다)

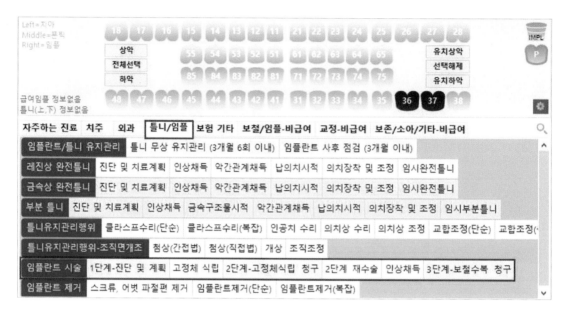

❷ 임플란트는 단계별 묶음수가제로 진찰료, 진료행위 등이 포함되어 있어 진찰료는 '없음'으로 표시된다.

❸ 상병명은 K08.1 사고, 추출 또는 국한성 치주병에 의한 치아상실만 적용할 수 있다.

❹ 사용된 고정체(Fixture)나 지대주(Abutment)는 보험으로 등재된 재료일 경우 재료구입신고 후 산정한다.

1단계

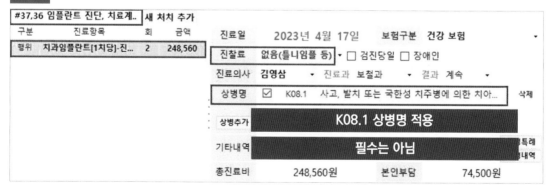

2단계

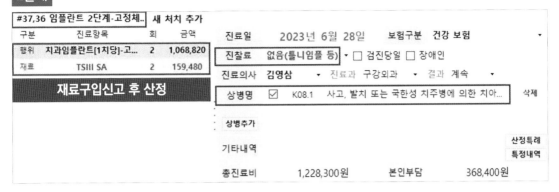

구분	진료항목	회	금액
행위	치과임플란트[1치당]-고...	2	1,068,820
재료	TSIII SA	2	159,480

재료구입신고 후 산정

#37,36 임플란트 2단계-고정체.. 새 처치 추가

진료일 2023년 6월 28일   보험구분 건강 보험

진료료 없음(틀니임플 등) ▾ ☐ 검진당일 ☐ 장애인

진료의사 김영삼 ▾ 진료과 구강외과 ▾ 결과 계속 ▾

상병명 ☑ K08.1 사고, 발치 또는 국한성 치주병에 의한 치아... 삭제

상병추가

기타내역   산정특례

                                                    특정내역

총진료비   1,228,300원   본인부담   368,400원

3단계

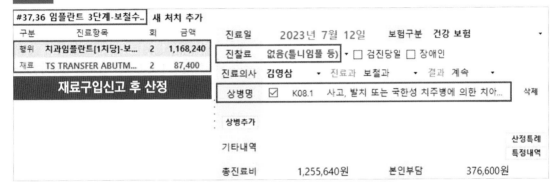

구분	진료항목	회	금액
행위	치과임플란트[1치당]-보...	2	1,168,240
재료	TS TRANSFER ABUTM...	2	87,400

재료구입신고 후 산정

#37,36 임플란트 3단계-보철수.. 새 처치 추가

진료일 2023년 7월 12일   보험구분 건강 보험

진료료 없음(틀니임플 등) ▾ ☐ 검진당일 ☐ 장애인

진료의사 김영삼 ▾ 진료과 보철과 ▾ 결과 계속 ▾

상병명 ☑ K08.1 사고, 발치 또는 국한성 치주병에 의한 치아... 삭제

상병추가

기타내역   산정특례

                                                    특정내역

총진료비   1,255,640원   본인부담   376,600원

🔎 산정기준 ❷ – 치과임플란트 고정체 재식립술

- 시술중지와 재시술 등록을 진행한 후 시술을 진행해야 한다.
- 2단계 고정체식립술 50%만 산정하고 고정체(Fixture) 재료대는 100% 산정 가능하다.
- 골유착 실패로 고정체 제거 시 임플란트 제거술은 산정할 수 없다.

📋 진료기록부 예시

Date	Region	Treatment & Prognosis
7/1	4	C.C 임플란트 심은 데가 한 달이 지났는데도 계속 아파요. 파노라마 촬영 임플란트 고정체 골유착 실패 #44 임플란트 고정체 제거. Suture (아이리 SK4, 30 cm 사용) B/A lidocaine 1 ample 시술중지 신청
7/8	4	Stitch out N) 한 달 후 재식립

Date	Region	Treatment & Prognosis
8/9	4	임플란트 재등록 B/A lidocaine 1 ample 임플란트 재수술 시행 Osstem TS III SA 4.0×10 mm, Suture (아이리 SK4, 30 cm 사용)
8/16	4	Stitch out

청구화면 예시

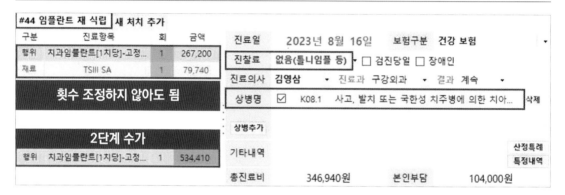

❶ [틀니/임플] – [임플란트 시술] – [2단계 재수술]을 클릭한다.

❷ 2단계 재수술 버튼은 이미 2단계 수가가 50%로 적용되어 있기 때문에 별도로 횟수 조정을 하지 않아도 된다. 사용한 재료는 100% 산정 가능하다. 다만, 재료구입신고가 완료되었는지 먼저 확인한다.

❸ 상병명은 K08.1 사고, 추출 또는 국한성 치주병에 의한 치아상실로 적용한다.

질문있어요!

 Q1

환자분이 오셔서 파노라마를 찍고 진단한 후 그날 바로 임플란트를 식립했습니다. 이날 1, 2 단계를 동시에 산정할 수 있나요?

 아니요. 1단계만 산정 가능해요. 2단계는 2차 수술 후 봉합사 제거 시 산정해야 하기 때 문에 동시에 산정할 수 없어요.

 Q2

임플란트 등록할 때 4월 27일로 시술 시작일로 등록했습니다. 수술 예약을 5월 1일로 했는 데 1단계를 5월 1일에 입력해도 상관없나요?

 등록 날짜와 실제 시술 날짜가 동일하지 않다고 해서 조정되거나 하진 않아요. 실제 진 료일에 1단계를 입력하면 돼요.

Q3

발치하는 날 임플란트 식립을 바로 했습니다. 1단계 입력하는 날 파노라마를 동시에 청구할 수 없다고 했는데 발치도 청구할 수 없나요?

해당일에 발치 즉시 임플란트 식립을 진행한 경우 임플란트 1단계 항목과 발치 항목은 각각 산정 가능해요. 다만 임플란트는 단계별 묶음수가 방식이기 때문에 진찰료는 별도로 산정할 수 없기 때문에 발치가 입력된 화면의 진료구분이 '초진/재진'으로 되어있다면 '진찰료 없음'으로 변경 후 청구해야 해요.

Q4

#16 보험 임플란트하고 나서 봉합사 제거하는 날 계속 아프다고 약을 처방해달라고 하는데 이날 #16 클릭하고 기본진료료를 산정하면 되나요?

아니요. 보험임플란트 시에는 단계별로만 청구가 가능하고, 처방 역시 단계에 포함되어 있어요. 약 처방은 보험으로 가능하지만, 진찰료는 청구할 수 없어 진찰료(진료 구분)를 '진찰료 없음'으로 변경해야 해요.

Q5

오늘 보험 임플란트 보철이(#23, 24) 들어갔습니다. 바로 틀니 진행할 예정인데 오늘 임플란트 3단계와 상악 부분틀니 1단계 동시 산정 가능한가요?

임플란트 보철을 완성하여 장착 후 3단계 청구하고, 그날 부분틀니 진단 및 치료계획을 하였다면 임플란트 3단계와 부분틀니 1단계는 각각 산정할 수 있어요.

Q6

#45 보험 임플란트 환자입니다. 임플란트 식립하고 파노라마 체크 시 염증소견으로 픽스쳐를 제거했습니다. 한 달 후 임플란트 재식립했는데 이런 경우 재진으로 산정해야 하나요?

임플란트는 단계별 묶음수가 방식이죠. 이 경우 2단계를 다시 한 번 진행하는 것으로 진찰료는 별도로 산정할 수 없어요. 재진이 아닌 진료 구분을 '진찰료 없음'으로 청구하면 돼요.

Q7

임플란트 골유착 실패로 제거 후 시술중지 했습니다. 이러한 경우 기존에 청구했던 부분에 대해 환수해야 하는 건가요?

아니요. 골유착 실패로 시술중지 하게 되는 경우는 평생 인정 갯수에 포함되지 않기 때문에 기존에 청구했던 2단계까지는 인정받을 수 있어요.

Q8

급여 임플란트 재식립을 했습니다. 이러한 경우 본인부담금 수납해야 하나요?

네, 본인부담금은 꼭 수납해야 해요. 본인부담금을 면제하는 행위는 의료법상 불법에 해당되기 때문에 꼭 수납해야 하며, 보험임플란트 시술 전에 치조골이 안 좋은 경우 실패 가능성 및 재수술 가능성을 미리 설명하고, 이때 비용도 발생할 수 있다는 것을 미리 안내해드리면 좋을 것 같아요.

Q9

보험 임플란트 식립하고 1단계 청구했습니다. 멀어서 소독도 못 오신다고 하고 suture도 안 했는데 2단계는 언제 청구가 가능한가요?

임플란트 2단계는 원칙적으로 2차 수술하고 나서 stitch out 하는 날 산정해야 하는데, suture를 하지 않았다면 체크하는 날 2단계를 청구하는 게 맞아요. 체크를 위해 내원하는 날 2단계를 청구하면 되는 거죠.

Q10

#12 보험 임플란트 식립한 지 2년이 되었는데 상태가 좋지 않아 제거했습니다. 임플란트 횟수가 1개 남아 있는데 동일 치아에 식립이 가능한가요?

평생 인정 개수 2개를 초과하지 않았다면 동일 치식에 임플란트 식립이 가능해요. 다만 동일 치식이기에 프로그램상 등록이 어려워 공단에 문의 후 진행하면 돼요.

Q11

임플란트 2단계까지 진행했는데, 본뜨는 날 환자분이 돈을 더 내더라도 상부 보철을 지르코니아로 하고 싶다고 하십니다. 3단계 비용에 보철비용 차액을 더 받고 지르코니아로 하는 게 가능한가요?

아니요. 보철수복을 PFM이 아닌 메탈, 지르코니아, 금, PFG 크라운 등으로 시술하는 치과임플란트는 시술전체가 비급여에 해당하기 때문에 절대로 그렇게 하면 안 되고, PFM 크라운으로만 보철수복을 완료할 수 있어요.

Q12

골유착 실패로 픽스처를 제거했습니다. 시술중지 신청을 해야 하는데 어떻게 하는 건가요? 그리고 시술중지 후 재등록은 어떻게 하는 건가요?

건강보험 치과임플란트 대상자 시술중지/변경/해지/취소 신청서에 ②시술중지에 체크 후 시술중지일과 시술중지 사유 등을 기재한 후 해당 국민건강보험공단으로 제출(팩스 전송)하면 돼요. 다만, 3단계 비용 청구 이후에는 시술중지 등록을 할 수 없으니 주의해 주세요.

시술중지가 되어 있다면 재등록 후 2단계 재식립술이 가능한데요, 요양기관정보마당(https://medicare.nhis.or.kr/portal)에서 건강보험 치과임플란트 대상자 '재시술 등록'을 하고 진행하시면 돼요.

Q13
보험 임플란트 2단계 중지 후 재식립하면 재시술을 누르고 픽스쳐도 똑같이 누르면 되나요?

임플란트 시술중지를 신청하고 재식립 시 다시 등록한 후 2단계 재식립술을 클릭하고, 픽스쳐도 선택하면 되는데, 재시술인 경우 행위료는 50%, 재료대는 100% 산정할 수 있으나 프로그램상 재식립술을 클릭한 경우 이미 행위료를 50%로 조정해 놓은 금액이므로 횟수를 0.5로 수정하지 않아도 돼요.

Q14
1월에 임플란트 등록 후 1단계 청구를 완료했고, 3월에 2단계 시술을 완료하여 청구하려고 했더니 #26 치아인데, #16 치아로 잘못 등록되었더라고요. 어떻게 해야 하나요?

치식 등록을 잘못했다면 잘못된 치식에 대해서 취소 신청을 하고, 취소 완료 후 원래 치식으로 등록한 다음 다시 청구해야 하는데요, [건강보험 치과임플란트 대상자 시술중지/변경/해지/취소 신청서] ④취소에 체크 후 사유를 기재한 후 해당 국민건강보험공단으로 제출(팩스 전송)하면 돼요.

[서식2]

건강보험 치과임플란트 대상자
시술중지/변경/해지/취소 신청서

✽ 아래 유의사항 및 작성방법를 참고하여 작성해 주시기 바랍니다. (앞면)

① 등록내역	등록번호			치식번호			시술시작일	
	수진자정보	성명				건강보험증번호		
		주민등록번호				휴대전화번호		
	요양기관정보	요양기관기호		요양기관명			전화	

☐ ② 시술중지	중지신청	시술중지일			
		사유	☐ 2단계 시술 실패(골유착 실패)		

☐ ③ 변경	변경신청	신청구분	☐ 수진자 요청	☐ 요양기관 요청	☐ 기타
		사유기재			
	변경내용	항목	변경 전		변경 후

☐ ④ 해지	해지신청	사유기재
	※ 해지신청건도 치과임플란트 보험인정 개수에 포함됩니다.	

☐ ⑤ 취소	취소신청	사유기재	
	요양급여비용(공단부담금) 청구 여부		
	☐ 청구안함		☐ 청구완료
	※ 청구완료에 체크한 경우, 건강보험심사평가원에 자진환수 요청 후 환수 완료된 증빙자료를 제출하여 주시기 바랍니다.		

위와 같이 건강보험 치과임플란트 대상자 시술중지/변경/해지/취소를(을) 신청합니다.

년   월   일

신청기관 또는 신청인	☐ 요양기관	요양기관명(기호) :	( )	(직인)
		담당의사(면허번호) :	( )	(서명 또는 인)
	☐ 수진자	⑥ 신청인 :		(서명 또는 인)
		수진자와의 관계	( )	

1. 국민건강보험법 제44조(비용의 일부부담)

이때 청구 여부를 체크해야 하는데요, 이미 청구가 되었다면 자진 환수를 먼저 해야 해요.

PART 7. 임플란트

■ 환수방법

요양기관업무포털(건강보험심사평가원) 접속 ▶로그인 ▶정산관리 ▶재심사조정청구/환수/정산 클릭!

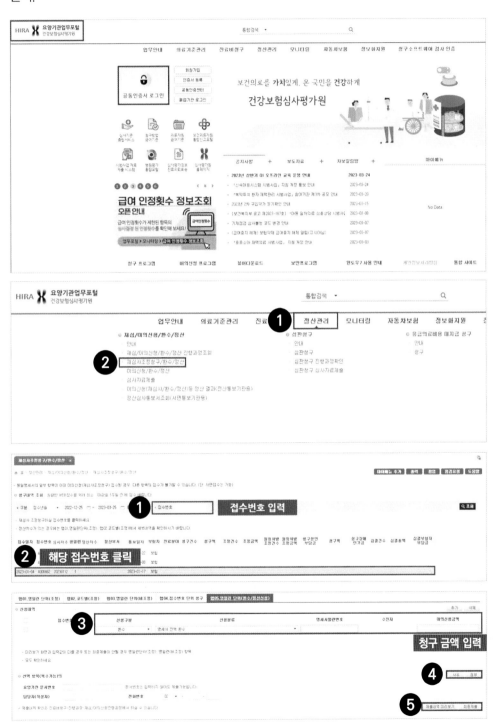

환수 후에는 환수 진행 결과를 조회하여 환수 증빙자료를 함께 첨부해서 보내면 돼요.

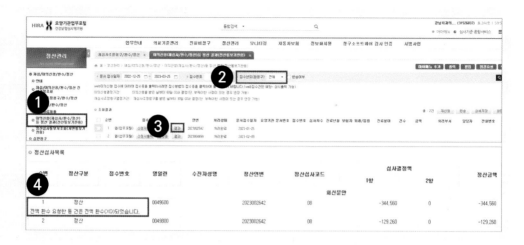

환수 완료 후 원래 치식으로 등록을 하고, 이전 1단계는 누락청구를 진행하면 돼요.

PART 7.

임플란트

치과임플란트 유지관리

보철 장착 후 3개월 이내
- 횟수제한 없이 진찰료만 산정
- 임플란트 식립한 병원과 동일한 병원에서 시술
- 보철물이 파절되어 수리하거나, 재제작을 해야 하는 경우에도 처치와 관련된 비용은 징수할 수 없으며, 진찰료만 산정

보철 장착 후 3개월 이후
- 치과임플란트 주위 치주질환 등으로 처치 및 수술을 시행한 경우 연령 관계없이 해당 급여 항목으로 산정
- 보철수복과 관련된 유지관리는 비급여로 산정
  - 지대주 나사 풀림 또는 파절
  - 보철물 도재 파절
  - 인접치아 사이에 음식물 끼임 현상 등

🎧 질문있어요!

Q1

일주일 전에 보험 임플란트 보철까지 완성하여 3단계 청구가 완료된 환자입니다. 임플란트 부위가 날카로워 혀에 걸린다고 하셔서 확인해 보니 포세린이 일부 떨어져 나가 보철을 새로 제작해야 하는 상황입니다. 이런 경우 PFM 비용을 비급여로 받아도 되나요?

치과임플란트 보철수복 후 사후점검기간(3개월 이내) 즉 무상유지관리 기간에는 보철 부분이 파절되어 수리를 하거나 재제작을 하게 되는 경우, 별도의 비용은 수납할 수 없으며, 진찰료만 산정하여 그에 따른 본인부담금만 수납할 수 있어요.

#37 임플란트 사후 점검　새 처치 추가			
구분	진료항목	회	금액
행위	보험임플란트사후관리	1	0

진료일　2023년 2월 1일　보험구분　건강 보험

진찰료　재진　　□ 검진당일 □ 장애인

진료의사　김영삼　　진료과 보철과　　결과 계속

상병명　☑　T85.6　치과보철물의 파절및 상실　　삭제

상병추가　**원인에 맞게 상병명 적용**

기타내역　**필수는 아님**

총진료비　10,270원　　본인부담　1,500원

Q2

만 40세 환자분인데, 타 병원에서 치료했던 임플란트 치아 씹는 면에 음식이 낀다고 내원했습니다. 스크류 조이고 글래스아이오노머로 홀을 충전했는데, 임플란트 홀 충전과 스크류 조절한 것도 별도로 산정할 수 있나요?

임플란트는 보철수복 완료 후 3개월이 지났다면 연령과 상관없이 임플란트 유지관리를 보험으로 산정할 수 있어요. 시술한 행위 그대로 청구하면 되는데, 임플란트 홀 충전은 충전 1면으로 산정하면 돼요. 스크류 조인 부분에 대해서는 별도로 산정할 수 있는 항목이 없어요.

GI 충전 1면 새 처치 추가

구분	진료항목	회	금액
행위	복합레진충전(글래스아...	1	7,820
행위	와동형성[1치당]-1면	1	3,020
재료	KETAC-MOLAR (APLICAP)	1	1,530
행위	충전물연마[1치당]	1	790

진료일　　2023년 2월 1일　　보험구분　건강 보험

진찰료　초진　　　　▼ □ 검진당일 □ 장애인 □ 임신부

진료의사　김영삼　　▼ 진료과 보존과　▼ 결과 계속

상병명　☑　T85.6　치과보철물의 파절및 상실　　삭제

T85.6 상병명 적용

상병추가

기타내역　[복합레진충전(글래스아이노머시..] 임플란트 나사홀 충전　산정특례 특정내역

필수는 아니나 기재하면 좋음

총진료비

Q3

#15-17 임플란트 브릿지 하신 지 3년 정도 되었는데, 임플란트 주위염이 자주 생겨서 나사선 성형술을 시행하였습니다. 청구할 수 있는 항목이 있나요?

나사선 성형 즉 임플란트 표면처치술을 시행했다면 치근면처치술로 청구할 수 있어요. 임플란트의 경우 치근면처치술은 200% 인정해 주기 때문에 횟수 '2'로 산정해 주면 되고, 치식 입력 시 임플란트 치식으로 선택해 주는 것이 필요해요.

항목	제목	세부인정사항
차106 치근면처치술 [1/3악당]	치과임플란트 치아에 표면처치술(표면세정, 무독화시술, 나사선성형술 등)	치과임플란트 치아에 치주 외과적 수술 처치 후에 실시하는 치과임플란트 표면처치술(나사선성형술 등)을 실시한 경우에는 1-2개 치아에 실시하였다 하더라도 차106 치근면처치술[1/3악당] 소정점수의 200%를 산정함.

고시 제2014-100호

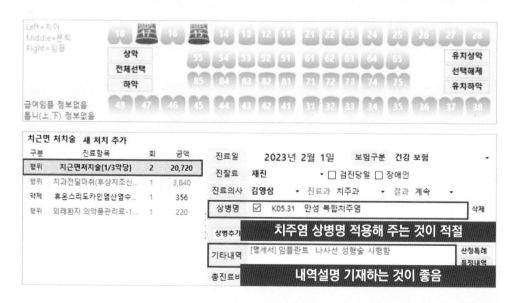

치근면 처치술 새 처치 추가

구분	진료항목	회	금액
행위	치근면처치술[1/3악당]	2	20,720
행위	치과전달마취(후상치조신...	1	3,840
약제	휴온스리도카인염산염수...	1	356
행위	외래환자 의약품관리료-1...	1	220

진료일　　2023년 2월 1일　　보험구분　건강 보험

진찰료　재진　　　　▼ □ 검진당일 □ 장애인

진료의사　김영삼　　▼ 진료과 치주과　▼ 결과 계속

상병명　☑　K05.31　만성 복합치주염　　삭제

치주염 상병명 적용해 주는 것이 적절

상병추가

기타내역　[명세서] 임플란트 나사선 성형술 시행함　산정특례 특정내역

내역설명 기재하는 것이 좋음

총진료비

Dental Implant Removal

임플란트 제거술

임플란트 제거술이란?

골유착 실패로 동요도가 있거나 임플란트 주위염, 파절, 손상 등으로 임플란트를 제거하는 경우 산정합니다.

🔍 산정기준

가. **단순**: 골유착 실패로 동요도가 있는 경우 산정

나. **복잡**: 동요도가 없는 임플란트 주위염 파절, 신경손상 등으로 Trephine Bur 또는 별도의 전용제거 kit를 사용하는 경우 산정

- 치아당 산정한다.
- X-ray, 마취 시 별도 산정 가능하다.
- 연령과 상관없이 임플란트 제거 시 산정 가능하다.
- 동일 부위 치은박리소파술과 동시 시행 시 높은 수가 100%, 낮은 수가 50% 산정해야 한다.
- 시술 후 Dressing은 '수술 후 처치(가)'로 산정 가능하다.
- 치과임플란트제거(복잡) 시 사용한 Bur는 Bur(가) 항목으로 산정 가능하다.

📋 진료기록부 예시

Date	Region	Treatment & Prognosis
2/1	6	C.C 5년 전에 임플란트한 게 있는데 씹을 때마다 아프더니 흔들려요 Dx. 만성 복합치주염(K05.31) X-ray, B/A 2@ Simple removal

 청구화면 예시

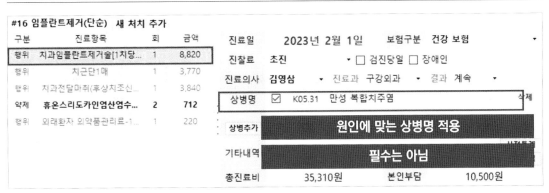

❶ [틀니/임플] - [임플란트 제거] - [임플란트제거(단순)]을 클릭한다.

❷ 상병명은 임플란트 제거 원인이 되는 상병명을 적용한다.

 질문있어요!

Q1

 #22, #11 임플란트 식립 후 임플란트 브릿지 예정입니다. 2차 수술 시 픽스쳐의 동요도가 심해 제거했습니다. 이 경우 임플란트 제거술 산정할 수 있나요?

 상부보철까지 완성된 임플란트를 제거한 경우라면 임플란트 제거술을 산정할 수 있지만 픽스쳐만 제거한 경우라면 임플란트 제거술은 산정할 수 없어요.

Removal of Implant for Internal Fixation

악골내
고정용 금속제거술

악골내 고정용 금속제거술이란?

치과임플란트 보철연결용 나사 또는 지대주가 임플란트 고정체 내부에서 파절되어
판막을 거상하고 파절편을 제거하는 경우 산정합니다.

🔍 산정기준

- 스크류나 어버트먼트(abutment)가 파절되어 판막을 거상하여 제거하는 경우 산정 가능하다.
- Bur를 사용하여 치아분리를 시행한 경우 Bur(다) 항목으로 별도 산정 가능하다.
- X-ray, 마취 시 별도 산정 가능하다.

진료기록부 예시

Date	Region	Treatment & Prognosis
2/1	──┼── 7	C.C 어제 저녁 먹을 때 갑자기 임플란트가 흔들리는 것 같았어요. 치근단촬영(디지털) 1매 – 임플란트 어버트먼트(지대주) 파절 임플란트의 치근단부 2/3 부위 잔존, 골유착이 유지된 상태 B/A 1@ 파절된 임플란트 어버트먼트(지대주) 제거, Bur 사용, Suture (아이리 SK3, 15 cm 사용)

청구화면 예시

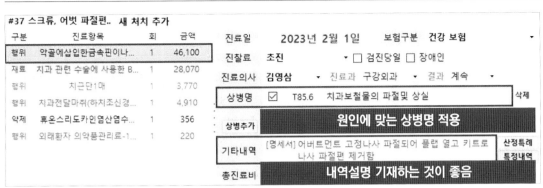

❶ [틀니/임플] - [임플란트 제거] - [스크류, 어벗, 파절편 제거]를 클릭한다.

❷ 상병명은 원인에 맞게 적용해 주면 되나, T85.6 치과보철물의 파절 및 상실로 적용하는 경우가 많다.

❸ 자주하는 진료가 아니기 때문에 내역설명을 기재해 주는 것이 좋다.

질문있어요!

Q1
임플란트 내부 나사가 파절이 되어 제거하였습니다. 비급여 임플란트이고 만 65세가 안 넘었는데 산정할 수 있나요?

임플란트 제거술이나 악골내 고정용 금속제거술은 급여 임플란트 하신 분들뿐만이 아니라 연령과 상관없이 비급여로 임플란트 하셨던 분들까지 산정 가능해요.